TÉMOIN À CHARGE

Liste alphabétique complète des

Romans d'Agatha Christie

(Masque et Club des Masques)

	Masque	Club des masques
A.B.C. contre Poirot	263	296
L'affaire Prothéro	114	36
A l'hôtel Bertram	951	104
Allô ! Hercule Poirot ?	1175	284
Associés contre le crime	1219	244
Le bal de la victoire	1655	
Cartes sur table	274	364
Le chat et les pigeons	684	26
Le cheval à bascule	1509	514
Le cheval pâle	774	64
Christmas Pudding		42
(Dans le Masque : Le retour d'Hercule Poirot)		
Cinq heures vingt-cinq	190	168
Cinq petits cochons	346	66
Le club du mardi continue	938	48
Le couteau sur la nuque	197	135
Le crime de l'Orient-Express	169	337
Le crime du golf	118	265
Le crime est notre affaire	1221	228
Destination inconnue	526	58
Dix petits nègres	299	402
Drame en trois actes	366	192
Les écuries d'Augias	913	72
Les enquêtes d'Hercule Poirot	1014	96
La fête du potiron	1151	174
Le flux et le reflux	385	235
L'heure zéro	349	18
L'homme au complet marron	69	124
Les indiscrétions d'Hercule Poirot	475	142
Je ne suis pas coupable	328	22
Jeux de glaces	442	78
La maison biscornue	394	16
La maison du péril	157	152
Le major parlait trop	889	108
Meurtre au champagne	342	20
Le meurtre de Roger Ackroyd	1	415
Meurtre en Mésopotamie	283	28
Le miroir du mort		94
(dans le Masque : Poirot résout trois énigmes)		
Le miroir se brisa	815	3
Miss Marple au club du mardi	937	46

AGATHA CHRISTIE

TÉMOIN À CHARGE

HUIT NOUVELLES INÉDITES

LIBRAIRIE DES CHAMPS-ÉLYSÉES

Ce recueil comprend les nouvelles suivantes :

WITNESS FOR THE PROSECUTION, 1924
WIRELESS, 1927
THE MYSTERY OF THE BLUE JAR, 1924
FOUR AND TWENTY BLACKBIRDS, 1941
DOUBLE SIN, 1928
TRIANGLE AT RHODES, 1936
THE DREAM, 1937
THE MYSTERY OF THE SPANISH CHEST, 1960

© AGATHA CHRISTIE MALLOWAN, 1948.
© AGATHA CHRISTIE, LIBRAIRIE DES CHAMPS-ÉLYSÉES, 1969.

*Tous droits de traduction, reproduction, adaptation, représentation
réservés pour tous pays.*

TÉMOIN A CHARGE

(Witness for the prosecution)

Mr. Mayherne ajusta son pince-nez et s'éclaircit la voix avec la petite toux sèche qui lui était coutumière. Puis, il dévisagea de nouveau l'homme qui lui faisait face et qui était accusé de meurtre avec préméditation.

Mr. Mayherne, homme de petite taille, avait des manières assurées, était élégamment vêtu et son regard perçant dénotait une vive intelligence. Il avait la réputation d'être un avocat remarquable. Il parla à son client d'une voix calme, empreinte de sympathie.

— Je dois vous répéter que vous courez un grave danger et qu'il vous faut être absolument franc.

Leonard Vole, qui fixait le mur d'un air affolé, tourna les yeux vers son interlocuteur et répondit avec lassitude :

— Je le sais bien car vous me le répétez sans cesse. Mais je ne réalise pas encore que je suis accusé d'assassinat ! et d'assassinat dans des conditions si affreuses !

Mayherne était peu émotif, il toussota encore, ôta son lorgnon, l'essuya avec soin, le replaça sur son nez et répondit :

— Oui, oui, cher monsieur, nous allons faire un gros effort pour vous libérer et nous réussirons. Toutefois, il faut que je sois au courant des moindres détails afin de connaître l'étendue de l'accusation qui pèse sur vous. Après quoi, nous déciderons de la meilleure façon de vous défendre.

Le jeune homme continuait à le regarder du même air incompréhensif. Jusqu'alors, Mayherne avait jugé l'affaire très grave et cru à la culpabilité du prisonnier. Pour la première fois, il éprouvait un doute.

— Vous me croyez coupable, reprit Vole d'un ton sourd. Mais je jure devant Dieu que je ne le suis pas, quoique les apparences me désignent. Je suis dans un filet dont je ne puis me débarrasser, mais je suis innocent, maître, innocent !

Mayherne n'ignorait pas que, dans un cas semblable, tout homme s'exprimait ainsi. Pourtant il se sentait troublé : Leonard Vole était peut-être innocent.

— Il est certain, reprit-il gravement que votre situation paraît très inquiétante. Pourtant, je veux bien vous croire. Venons aux faits : Je désire que vous m'exposiez exactement comment vous avez fait la connaissance d'Emily French ?

— Un jour, dans Oxford Street, je vis une dame âgée qui traversait la rue et qui portait de nombreux paquets ; arrivée au milieu de la rue, elle les laissa tomber et essaya de les ramasser ; elle s'aperçut qu'un autobus arrivait sur elle, parvint tout juste à gagner le trottoir et y resta terrifiée car les passants l'interpellaient violemment. J'ai ramassé les paquets, les ai essuyés de mon mieux, renoué la ficelle de l'un d'eux et les lui ai remis.

— Lui aviez-vous sauvé la vie ?

— Certes non, j'avais simplement fait un geste courtois. La vieille dame se montra fort reconnaissante, me remercia vivement et fit allusion à ma courtoisie, supérieure à celle des jeunes générations. Je ne me souviens pas de la phrase exacte. Je soulevai mon chapeau et m'éloignai, convaincu de ne jamais la revoir. Mais, la vie est pleine de coïncidences. Ce même soir, je retrouvai cette personne à une soirée chez des amis ; elle me reconnut et demanda que je lui sois présenté. J'appris qu'elle se nommait Emily French et habitait Cricklewoo. Nous causâmes un instant, je suppose qu'elle devait éprouver des sympathies subites, car je lui plus à cause d'un geste poli que n'importe qui aurait pu faire. Quand elle partit, elle me serra fortement la main et m'invita à venir la voir. Je répondis que j'en serais ravi et elle me demanda de fixer un jour ; je n'y tenais guère, mais refuser eût semblé grossier, de sorte que je fixai le samedi suivant. Après son départ, j'appris par un ami qu'elle était riche, assez originale, vivait seule avec une domestique et avait huit chats.

— Je comprends, dit Mayherne, vous avez su tout de suite qu'elle était dans une situation aisée.

— Si vous vous imaginez que je m'en suis préoccupé ! s'écria Vole vivement.

Mais l'avocat le fit taire d'un geste et déclara :

— Il faut que j'examine l'affaire telle qu'elle sera présentée par la partie adverse. Un observateur impartial n'aurait pas supposé que Miss French fût riche ; elle vivait simplement, presque pauvrement. Si l'on ne vous avait pas dit le contraire vous l'eussiez probablement jugée peu fortunée, au début du moins. Qui vous a appris le contraire ?

— Mon ami Georges Harvey, chez lequel avait lieu la soirée.

— Se souviendra-t-il vous en avoir parlé ?

— Je ne sais pas. Il s'est écoulé pas mal de temps depuis.

— En effet. Vous comprenez, le premier soin de ceux qui vous accusent consistera à prouver que vous étiez très désargenté. Ce qui est vrai je crois ?

Leonard Vole rougit :

— Oui, répondit-il très bas. Je traversais une période de guigne.

— En effet, acquiesça Mayherne. Etant donc gêné, vous avez fait la connaissance de cette vieille dame riche et avez cultivé assidûment cette relation. Si nous pouvions déclarer que vous ignoriez qu'elle était fortunée et que vous alliez la voir par pure bonté...

— Ce qui était absolument vrai.

— C'est possible et je n'en disconviens pas ! j'examine la question du point de vue extérieur. Tout dépendra de la déclaration de Mr. Harvey. Se souviendra-t-il de votre conversation ? Pourra-t-il être troublé par l'avocat de la partie adverse, au point de croire que cet entretien fut situé beaucoup plus tard ?

Vole réfléchit un instant, puis répondit d'un ton ferme, mais en pâlissant :

— Je ne crois pas, maître Mayherne, que cette manœuvre réussirait. Plusieurs personnes ont entendu ce que disait Harvey et m'ont plaisanté au sujet de ma riche conquête.

L'avocat essaya de cacher sa déception en faisant un geste de la main et répondit :

— Dommage. Mais je vous félicite de votre franchise et c'est vous qui me guiderez désormais. Vous voyez juste et le système que j'envisageais serait désastreux. Laissons cela. Vous avez donc fait la connaissance de Miss French, vous lui avez rendu visite et avez continué. Il nous faut savoir pourquoi un homme de votre âge — trente-cinq ans — beau garçon, sportif, aimé de vos amis, a consacré une partie notable de son temps à une femme âgée, dont les goûts devaient être fort éloignés des vôtres ?

Vole tendit les mains en un geste nerveux.

— Je ne puis l'expliquer, vraiment pas ; à la fin de ma première visite elle m'a supplié de revenir, m'a dit qu'elle était isolée et malheureuse. Il m'était difficile de refuser, d'autant plus qu'elle me témoignait une si grande sympathie que j'en étais touché. Voyez-vous, maître, je suis faible de nature et ne sais pas dire non. Et, vous ne me croirez peut-être pas, mais après lui avoir fait trois ou quatre visites, je me suis sincèrement attaché à cette vieille femme : ma mère mourut alors que j'étais très jeune, une de mes tantes m'a élevé jusqu'à ce que j'aie quinze ans, puis elle est morte aussi. Si je vous avoue que j'étais heureux d'être choyé et gâté, vous en rirez sans doute.

L'avocat ne riait pas. Il ôta de nouveau son lorgnon, le frotta, ce qui prouvait qu'il était songeur.

— J'accepte votre explication, dit-il enfin, car j'estime qu'elle est vraisemblable du point de vue psychologique. L'opinion d'un jury pourrait être différente. Je vous en prie, continuez votre récit. A quel moment Miss French vous a-t-elle pour la première fois demandé de vous occuper de ses intérêts ?

— Après ma troisième ou quatrième visite. Elle n'entendait pas grand'chose aux questions pécuniaires et s'inquiétait au sujet d'un placement.

Mr. Mayherne leva vivement la tête.

— Attention, dit-il. La femme de chambre, Janet Mackensie affirme que sa maîtresse était une excellente femme d'affaires, s'occupait de tous ses placements, opinion corroborée par les déclarations de ses banquiers.

— Je n'y puis rien, protesta Vole. C'est Miss French qui m'a dit le contraire.

L'avocat le dévisagea pendant un instant sans répondre. Bien qu'il n'eût pas l'intention de le dire, sa conviction en l'innocence de son client s'affirmait, car il connaissait la mentalité des femmes âgées et pouvait aisément croire que Miss French, subjuguée par ce beau garçon, avait cherché un prétexte pour l'attirer chez elle. Or, aucun n'était meilleur qu'une incompétence au sujet des transactions bancaires, car elle n'ignorait pas que tout homme est flatté d'être jugé infaillible. Peut-être même avait-elle souhaité faire comprendre à Vole qu'elle était riche. Toutes ces réflexions se présentèrent rapidement à l'esprit de l'avocat, mais il n'en laissa rien paraître et demanda :

— Alors, sur sa demande vous vous êtes occupé de ses affaires d'intérêt.

— Oui.

— Je vais vous poser une question importante et il est nécessaire que vous me répondiez franchement. Vous étiez financièrement gêné et vous aviez la haute main sur la fortune d'une vieille dame qui, de son propre aveu, n'y entendait pas grand'chose. En avez-vous jamais profité pour détourner, à votre bénéfice les valeurs qui vous étaient confiées ? Attendez un instant avant de répondre, car deux lignes de conduite s'offrent à nous : d'une part nous pouvons faire état de votre probité pendant que vous vous occupiez des affaires de Miss French, en insistant sur le fait que vous n'aviez pas besoin de commettre un crime pour obtenir des sommes que vous pouviez vous procurer beaucoup plus facilement. Si, d'autre part, dans votre manière d'agir il y a des détails dont l'accusation pourra faire état, autrement dit si l'on peut prouver que vous avez fait chanter cette vieille dame, nous dirons que vous n'aviez aucun motif pour la tuer puisque vous retiriez d'elle un revenu appréciable. Vous voyez la différence ? Je vous adjure donc de réfléchir avant de répondre.

Mais Leonard Vole n'en fit rien et dit aussitôt :

— La manière dont je me suis occupé des affaires de Miss French est parfaitement honnête. J'ai pris soin de ses intérêts du mieux que j'ai pu, ainsi que n'importe qui peut s'en apercevoir aisément.

— Merci, répondit Mayherne, vous me soulagez beaucoup, car je vous crois trop intelligent pour mentir dans un cas aussi important.

— Sûrement, affirma Vole. Ce qui plaide le plus en ma faveur, c'est l'absence de motif. Si l'on croit que j'ai été aux petits soins pour une vieille dame riche, dans l'espoir de lui soutirer de l'argent, et c'est bien le sens de vos paroles, sa mort doit me décevoir complètement.

L'homme de loi le dévisagea, puis il se remit à jouer avec son lorgnon et ne reprit la parole que lorsqu'il l'eut remis sur son nez.

— Ne savez-vous donc pas que Miss French a laissé un testament, qui fait de vous son principal légataire ?

— Comment ? — Vole se dressa d'un bond et son désarroi fut évident. — Mon Dieu ! Que dites-vous ? Elle m'a laissé de l'argent !

Mayherne acquiesça et Vole retomba sur son siège en mettant la tête dans ses mains.

— Vous prétendez ne rien savoir à cet égard ?

— Prétendre ? Je ne savais rien, absolument rien.

— Que diriez-vous si je vous déclarais que la femme de chambre, Janet Mackensie, affirme que vous étiez au courant, car sa maîtresse lui avait déclaré vous avoir consulté à cet égard et vous avoir fait part de ses intentions ?

— Elle ment... Non, j'exagère. Janet est une femme âgée qui veillait de près sur sa maîtresse et qui ne m'aimait pas. Elle était jalouse et soupçonneuse. Il est possible que Miss French lui ait confié ses intentions et que la servante ait mal compris ou, encore, ait cru que j'avais fait pression sur elle. Elle doit, actuellement se figurer que Miss French le lui avait dit.

— Vous ne supposez pas qu'elle vous détestait au point de mentir volontairement ?

Leonard Vole parut effaré et consterné.

— Sûrement pas. Dans quel but ?

— Je l'ignore, dit l'avocat d'un air pensif, mais elle est très dure à votre sujet.

Le malheureux garçon gémit et murmura :

— Je commence à comprendre... C'est affreux, on dira que j'ai poussé Miss French à faire un testament en ma faveur, puis que je suis allé chez elle ce soir-là où il n'y avait personne et qu'on l'a trouvée morte le lendemain. C'est affreux !

— Vous vous trompez en disant qu'il n'y eut personne. Janet devait sortir en effet ce soir-là mais, à vingt et une heure trente, elle est revenue pour chercher un patron qu'elle avait promis à une amie. Elle est entrée par la porte de service, est montée dans sa chambre, puis est repartie. Elle a entendu des voix dans le salon, a cru, sans les reconnaître, que l'une était celle de Miss French et l'autre celle d'un homme.

— A vingt et une heure trente..., dit Vole. — Il se dressa d'un bond. — Alors, je suis sauvé, sauvé !

— Que voulez-vous dire ?

— A cette heure-là j'étais de retour chez moi et ma femme pourra le prouver. J'ai quitté Miss French à vingt heures

14

cinquante-cinq, ma femme était à la maison et m'attendait. Oh ! Dieu soit loué et bénit soit le patron que cherchait Janet Mackensie.

Dans sa joie, Vole n'avait pas remarqué que l'expression sévère du visage de son avocat ne s'était pas modifiée, mais quand Mayherne répondit, toute joie l'abandonna.

— A votre avis, qui a tué Miss French ?

— Un cambrioleur, ainsi que nous l'avons pensé tout d'abord. Souvenez-vous qu'une fenêtre a été forcée. La victime a été assommée à l'aide d'un lourd levier que l'on a retrouvé près du corps. Plusieurs objets manquaient. Sans les absurdes soupçons de Janet et son antipathie pour moi, la police n'aurait jamais perdu la bonne piste.

— Cela ne suffit pas, répondit l'homme de loi. Ce qui manque n'avait aucune valeur et n'a été dérobé que pour donner le change. Les empreintes laissées sur les fenêtres ne sont pas du tout probantes. Réfléchissez : vous dites ne plus vous être trouvé dans la maison à vingt et une heure trente. Qui donc était l'homme que Janet a entendu parler à Miss French dans le petit salon ? Elle n'eût certainement pas causé amicalement avec un cambrioleur...

— Non, répondit Vole. — Il semblait surpris et découragé. Cependant, ajouta-t-il avec plus de force, cela m'exonère. J'ai un alibi. Il faut que vous voyiez tout de suite Romaine, ma femme.

— Certes, reconnut Mayherne, ce serait déjà fait si elle n'avait été absente lors de votre arrestation. J'ai téléphoné à Scotland Yard, il paraît qu'elle rentre ce soir. J'irai la voir dès que je quitterai mon cabinet.

Une expression de soulagement éclaira le visage de Vole qui répondit :

— Oui, Romaine vous renseignera. Grand Dieu, j'ai de la chance.

— Excusez ma question. Etes-vous très épris de votre femme ?

— Je crois bien !

— Et elle vous aime beaucoup ?

— Elle m'est très dévouée et ferait n'importe quoi pour moi.

Il s'exprimait avec force, mais son avocat était moins enthousiasmé. Est-ce que le témoignage d'une épouse dévouée serait écouté ? Il demanda :

— En rentrant chez vous, avez-vous rencontré quelqu'un dans la rue ?

— Personne que je connaisse et, d'ailleurs, j'ai fait une partie du trajet en autobus. Le conducteur se souviendra peut-être...

Maître Mayherne secoua la tête d'un air dubitatif.

— Donc, dit-il, personne ne peut confirmer le témoignage de votre femme.

— Non, mais ce n'est pas nécessaire, il me semble.

— Je l'espère, répondit l'avocat. Encore un mot : Miss French savait-elle que vous étiez marié ?

— Oh ! oui.

— Pourtant, vous ne lui avez jamais présenté votre femme, pourquoi ?

Pour la première fois, Vole hésita à répondre :

— Je... ne sais pas trop.

— Vous rendez-vous compte que Janet Mackensie déclare que sa maîtresse vous croyait célibataire et espérait vous épouser par la suite ?

Vole se mit à rire.

— C'est absurde, il y avait quarante ans de différence entre nous !

— Cela arrive, répondit le juriste d'un ton sec. Votre femme n'a donc jamais vu Miss French ?

— Non..., la voix était à nouveau contrainte.

— Vous me permettrez de vous dire que je comprends mal votre attitude à cet égard.

Vole rougit, hésita, puis, dit enfin :

— Je vais vous parler franchement. Ainsi que vous le savez, j'étais à court d'argent. J'espérais que Miss French pourrait m'en prêter un peu. Elle avait de l'affection pour moi, mais ne s'intéressait pas aux difficultés d'un jeune ménage. J'avais découvert qu'elle supposait que le mien n'était pas heureux et que nous vivions séparés. Or, j'avais besoin d'une certaine somme pour Romaine. Je n'ai rien dit à la vieille dame, à qui j'ai laissé croire ce qu'elle voulait. Elle disait que j'étais son fils adoptif et il n'a jamais été question de mariage. Ce doit être une imagination de Janet.

— Est-ce tout ?

— Oui, absolument tout.

16

Vole avait-il hésité en prononçant ces mots ? L'avocat se le demandait. Il se leva et tendit la main en disant :

— Au revoir, monsieur. — Puis, en regardant le visage hagard du jeune homme, il ajouta, poussé par une impulsion :
— Je crois à votre innocence, en dépit de tous les faits qui semblent vous accuser. J'espère la prouver et vous soutiendrai fortement.

Vole lui sourit et dit :

— Vous constaterez que mon alibi est solide.

Il ne parut pas s'apercevoir que l'avocat ne répondait pas. Ce dernier reprit :

— Tout dépend du témoignage de Janet Mackensie. Ce qui est clair, c'est qu'elle vous déteste.

— Je ne vois pas la raison de sa haine.

— Maintenant, voyons Mrs. Vole, pensa Mayherne en sortant.

Il était très ennuyé de la tournure que prenait l'affaire. Le ménage Vole habitait une vilaine petite maison proche de la pelouse de Paddington. Mayherne s'y rendit.

En réponse à son coup de sonnette une grosse femme mal vêtue vint ouvrir.

— Mrs. Vole est-elle de retour ?

— Oui, depuis une demi-heure, mais je ne sais pas si vous pouvez la voir.

— Si vous voulez lui donner ma carte, je suis certain qu'elle me recevra.

La femme lui jeta un regard dubitatif, s'essuya les mains sur son tablier et prit la carte. Puis, elle ferma la porte au nez du visiteur. Toutefois, son attitude s'était quelque peu modifiée quand elle reparut en disant :

— Veuillez entrer.

Elle l'introduisit dans un minuscule salon et Mayherne, qui regardait un dessin accroché au mur, sursauta en apercevant une grande femme pâle qui était entrée si doucement qu'il ne l'avait pas entendue.

— Maître Mayherne ? Vous êtes l'avocat de mon mari, n'est-ce pas ? C'est lui qui vous envoie ? Veuillez vous asseoir.

Avant qu'elle ait parlé, il ne s'était pas rendu compte qu'elle n'était pas anglaise. En la dévisageant il remarqua ses pommettes saillantes et la teinte foncée de ses cheveux. C'était une étrange femme, très calme, d'un calme presque inquiétant.

Dès le début, Mayherne eut l'impression de se trouver en face d'un cas mystérieux auquel il ne comprenait rien.

— Chère madame, commença-t-il, il ne faut pas vous laisser abattre... Puis il s'arrêta court. Il paraissait tellement évident qu'elle n'avait pas la moindre intention de perdre courage et restait maîtresse de ses nerfs.

— Voulez-vous me mettre au courant ? dit-elle. Il me faut tout savoir. Ne cherchez pas à me ménager car je veux connaître le pire. — Elle hésita, puis répéta d'une voix plus sourde avec une énergie qui déconcerta l'homme de loi : — Je veux savoir le pire.

Mayherne lui raconta son entrevue avec Leonard Vole. Elle l'écouta attentivement en hochant la tête de temps à autre.

— Je comprends, dit-elle enfin, il veut que j'affirme que ce soir-là, il est rentré à neuf heures vingt.

— C'est bien exact ? interrogea vivement l'avocat.

— Là n'est pas la question, répliqua-t-elle froidement. Si je le dis, sera-t-il acquitté ? Me croira-t-on ?

Le juriste fut déconcerté qu'elle sût si vite toucher le point important. Elle reprit :

— Je désire savoir si cela suffira ? Une autre personne soutiendra-t-elle ma déclaration ?

Elle parlait d'un ton si vibrant que Mayherne eut une vague inquiétude. Il répondit comme à regret :

— Jusqu'à présent, il n'y a personne.

— Je vois, dit-elle. Puis elle ne fit pas un mouvement pendant une ou deux minutes, tandis qu'un petit sourire se jouait sur ses lèvres.

L'inquiétude de l'avocat allait croissant.

— Madame, murmura-t-il, je sais ce que vous éprouvez.

— Croyez-vous ? répliqua-t-elle. Je me le demande.

— Dans un cas pareil...

— Dans un cas de ce genre, j'ai l'intention de me débrouiller seule.

Mayherne la regarda avec stupeur.

— Chère madame, vous êtes désemparée. Votre grande affection pour votre mari...

— Plaît-il ?

La sécheresse du ton fit sursauter l'avocat. Il répéta d'une voix hésitante :

— Votre grande affection pour votre mari...

Romaine inclina doucement la tête et l'étrange sourire s'accentua.

— Vous a-t-il dit que je lui étais dévouée? Ah! oui, je comprends qu'il l'a dit. Que les hommes sont bêtes, bêtes, bêtes!

Elle se leva brusquement, et toute l'émotion intense que le juriste avait devinée depuis un instant parut concentrée dans sa voix.

— Je le hais, déclara-t-elle, je le hais et je désire le voir pendre et mourir!

Mayherne recula devant la fureur qui émanait de ses yeux étincelants; elle s'avança d'un pas et reprit :

— Peut-être ce spectacle me sera-t-il offert. Si je vous disais que ce fameux soir, il n'est pas rentré à neuf heures vingt, mais à dix heures trente. Il vous a dit qu'il ignorait qu'on lui avait légué de l'argent? Si je vous affirmais qu'il était au courant et qu'il a tué pour le toucher? Il me l'a avoué ce soir-là quand il est rentré. Il y avait du sang sur sa veste. Si je me levais à la barre des témoins pour le crier tout haut?

Elle défiait son interlocuteur du regard. Au prix d'un gros effort, il dissimula sa stupeur croissante et tenta de parler avec calme :

— Vous ne pouvez témoigner contre votre mari.

— Ce n'est pas mon mari.

Elle avait parlé si vite qu'il crut avoir mal entendu.

— Ce n'est pas mon mari. J'étais actrice à Vienne. Mon mari est vivant, mais dans un asile d'aliénés, de sorte que je ne pouvais pas épouser Vole, j'en suis heureuse maintenant.

— Voulez-vous répondre à une question? demanda Mayherne, qui parvint à reprendre son aspect calme et froid habituel.

— Pourquoi êtes-vous si dure envers Vole?

Elle sourit un peu, secoua la tête et répondit :

— Vous voudriez le savoir, mais je ne le dirai pas, je garderai mon secret.

L'avocat fit entendre sa petite toux sèche, se leva et répondit :

— Il n'y a aucune raison pour que nous prolongions cet entretien. Je communiquerai avec vous après avoir vu mon client.

Romaine s'approcha de lui et plongea le regard de ses beaux yeux noirs dans ceux de son adversaire.

— Dites-moi, quand vous êtes arrivé ici, supposiez-vous sincèrement qu'il était innocent ?

— Oui.

— Vous n'êtes qu'un pauvre petit bonhomme, répondit-elle en ricanant.

— Et je le crois encore. Bonsoir, madame.

Il sortit en emportant l'image de la violence de cette créature, et pensa : « Cette affaire va être diabolique. »

Il jugeait le cas infernal et considérait la femme comme très dangereuse. Que pouvait-il faire ? Ce malheureux garçon n'avait pas la moindre chance de s'en tirer. Peut-être après tout était-il coupable.

— Non, pensa Mayherne, il y a trop de preuves contre lui. Je ne crois pas ce que dit cette femme, elle fabriquait toute l'histoire, mais elle n'osera pas la répéter au tribunal. Toutefois, il eût souhaité en être plus sûr.

Les débats furent brefs et dramatiques. Les principaux témoins de l'accusation furent Janet Mackensie, domestique de la morte et Romaine Heilger, de nationalité autrichienne, maîtresse de l'accusé. Maître Mayherne écouta le terrible récit que fit celle-ci et qui était semblable à ce qu'elle lui avait dit.

Le prisonnier réserva sa défense et fut déféré au tribunal. Mayherne ne savait plus que faire. L'accusation portée contre Leonard Vole était terrible et même le célèbre avocat qui s'était chargé de la défense ne gardait que peu d'espoir. Il déclara d'un air dubitatif :

— Si nous pouvons minimiser les déclarations de cette Autrichienne, nous pourrons peut-être obtenir un résultat, mais le cas se présente mal.

Mayherne concentrait ses efforts sur un seul point. Convaincu que Vole disait la vérité et avait quitté la maison de la victime à vingt et une heures, quel était l'homme que Janet entendit parler à Miss French à la demie ?

Le seul espoir paraissait être un neveu de la vieille demoiselle, de réputation peu brillante et qui l'avait autrefois souvent cajolée et menacée pour en obtenir de l'argent. Mayherne avait appris que Janet Mackensie était fort attachée à ce garçon et n'avait jamais cessé de le recommander à Miss French. Il pouvait s'être rendu chez sa tante après le départ de

Vole, car on ne l'avait pas vu aux endroits qu'il fréquentait d'ordinaire.

D'autre part, les enquêtes de l'homme de loi furent négatives. Nul n'avait vu Leonard Vole rentrer chez lui ou sortir de chez Miss French. Personne ne vit non plus un autre homme dans le voisinage.

La veille du procès, maître Mayherne reçut une lettre qui devait entraîner ses pensées dans une toute nouvelle direction, elle lui parvint au courrier de l'après-midi. Mal écrite, sur du papier fort ordinaire, enfermée dans une enveloppe sale où le timbre était collé de travers, le juriste la relut deux fois avant de comprendre le sens :

« Cher m'sieu,
« Vous êtes le type avocat qui s'occupe du jeune malheureux. Si vous voulez que cette sale fille peinte soit connue pour ce qu'elle est ainsi que son tas de mensonges ? Venez au 16 de Shaw Rents Stepney ce soir... Ça coûtera deux mille francs demandez mame Mogson. »

Le juriste lut et relut l'étrange épître. Ce pouvait évidemment être une attrape, mais, en réfléchissant, il fut convaincu qu'elle était sincère et qu'il y avait là une dernière planche de salut pour le prisonnier. La déposition de Romaine Heilger le perdait sûrement et le système que comptait adopter la défense, à savoir que la déclaration d'une femme qui vivait d'une manière immorale, ne pouvait être prise en considération était assez faible.

Mayherne estimait devoir essayer de sauver son client. Il lui fallait se rendre à Shaw Rents.

Il trouva difficilement la maison en ruine dans une impasse nauséabonde, mais finit par l'atteindre. Ayant demandé Mme Mogson, on lui indiqua le troisième étage, il monta, frappa et, ne recevant aucune réponse, frappa une seconde fois. Il entendit alors, des pas traînants, une porte s'entrouvrit avec précaution et une personne toute courbée jeta un regard dans le couloir. Puis, tout à coup, la femme fit entendre un rire grinçant et écarta lentement et largement le battant.

— C'est donc vous, mon p'tit ? Vous êtes bien seul... Vous me tendez pas d'piège ? Très bien, vous pouvez entrer.

L'homme de loi pénétra en hésitant dans une pièce très sale, mal éclairée par un vieux bec de gaz. Il y avait un lit en désordre dans un coin, une table en bois blanc, et deux chaises branlantes. Brusquement, Mayherne vit mieux la locataire de ce peu séduisant logement. D'âge moyen, un peu bossue, elle avait une masse de cheveux gris en désordre et une écharpe lui entourait la figure. Voyant qu'il la regardait, elle éclata du même rire brutal et dit :

— Vous vous demandez pourquoi je cache ma beauté, chéri ? Avez-vous peur qu'elle vous séduise ? Vous allez voir.

Elle dénoua l'écharpe et Mayherne recula involontairement devant la tache rouge qui recouvrait un côté du visage. Elle la renoua et dit :

— Vous n'avez pas envie de m'embrasser, petit ? Ça ne m'étonne pas. Pourtant, j'ai été une jolie fille y a pas aussi longtemps que vous le croyez. C'est le vitriol qu'a fait ça, mais je me vengerai.

Elle se mit à blasphémer affreusement, puis finit par se taire en ouvrant et fermant les mains nerveusement.

— Assez, dit sévèrement Mayherne. Je suis venu parce que je suppose que vous pouvez me fournir un renseignement qui innocentera Leonard Vole mon client. Est-ce vrai ?

La mégère lui jeta un regard astucieux et grinça :

— Et l'argent, petit ? Deux mille balles vous savez.

— Vous avez le devoir de témoigner et on peut vous y obliger.

— C'est pas vrai. J'suis vieille, et j'sais rien. Mais si vous m'donnez deux mille balles peut-être qu'je pourrai vous donner une idée ou deux.

— Quel genre d'idées ?

— Qu'diriez-vous d'une lettre ? Une lettre d'elle ? Vous occupez pas comme j'l'ai trouvée, c'est mon affaire et vous s'ra utile, mais je veux mes deux mille balles.

Mayherne la regarda froidement et se décida.

— Je vous donnerai mille francs, pas plus et seulement si la lettre est bien telle que vous le prétendez.

— Mille francs ! cria-t-elle, furieuse.

— Mille cinq cents francs et c'est mon dernier mot.

Il se leva comme pour partir, puis tout en surveillant la vieille, il sortit un carnet de sa poche et compta quinze billets.

— Vous voyez, c'est tout ce que j'ai sur moi, c'est à prendre ou à laisser.

Il avait compris que la vue des billets serait souveraine. Elle blasphéma, grogna, mais finit par s'approcher du lit et retira quelque chose de sous le matelas.

— Voilà... c'est la première qu'vous voulez.

La vieille jeta un paquet de lettres à Mayherne qui dénoua la ficelle et regarda les feuilles de son air calme. La mégère qui le surveillait ne put rien lire sur son visage. Il lut chaque lettre puis reprit la première et la relut. Après quoi, il rattacha la liasse avec soin.

Chacune des lettres parlait d'amour, et avait été écrite par Romaine Heilger, mais Leonard Vole n'en était pas le destinataire. La première était datée du jour de son arrestation.

— J'vous ai dit vrai, s'pas chéri ? dit la vieille en pleurnichant. Ces papiers la feront condamner ?

L'homme de loi mit le paquet dans sa poche puis demanda :

— Comment vous êtes-vous procuré cette correspondance ?

— J'peux pas le dire, ricana-t-elle, mais j'sais 'core aut'chose. Au tribunal, j'ai entendu c'qu'a dit la traînée. Tachez donc de savoir où elle était à vingt-deux heures trente, alors qu'elle prétendait être chez elle. Demandez au cinéma de la rue du Lion, on se souviendra de cette belle femme. Quelle soit maudite !

— Quel est l'homme auquel elle écrivait, interrogea Mayherne, la lettre n'indique que son prénom.

La vieille se mit à parler d'une voix rauque et à serrer et desserrer les poings, puis elle en porta un à sa figure et balbutia :

— C'est lui qui m'a défigurée... il y a longtemps. Elle n'était alors qu'une enfant, mais elle me l'a pris et, quand j'ai voulu les punir, il m'a jeté le maudit poison à la figure, et elle s'est mise à rire, la maudite ! Y a des années que je la guette, que j'la suis, que j'l'épie. Mais maintenant, je la tiens. Elle sera punie, dites, m'sieu l'avocat ? Elle souffrira ?

— On la condamnera sans doute à une peine de prison pour faux témoignage, répondit Mayherne.

— Elle sera enfermée ? C'est ça que je veux. Vous partez ? Où est mon argent ? Mon bon argent ?

Mayherne posa les billets sur la table, puis il se détourna et quitta la pièce nauséabonde. Il regarda avant de franchir le seuil et constata que la mégère caressait les billets. Sans perdre un instant, il trouva le cinéma de la rue du Lion et montra aux employés une photographie de Romaine Heilger qu'ils reconnurent aussitôt. Elle était arrivée en compagnie d'un homme, après vingt-deux heures, le fameux soir, et ils étaient demeurés jusqu'à la fin de la projection.

Maître Mayherne était satisfait : Romaine Heilger avait fait une déclaration mensongère d'un bout à l'autre, poussée par la haine violente qu'elle portait à Vole. L'homme de loi se demandait s'il saurait jamais ce qui motivait cette haine. Qu'avait pu lui faire Leonard Vole ? Il avait paru stupéfait, quand l'avocat lui raconta son entrevue avec Romaine et avait déclaré n'y rien comprendre. Pourtant, maître Mayherne jugea ensuite son indignation quelque peu forcée. Après avoir consulté sa montre en quittant le cinéma, l'avocat fit signe à un taxi en murmurant :

— Il faut que je mette sir Charles au courant immédiatement.

Le procès de Leonard Vole, accusé d'avoir assassiné Emily French, avait fait naître un vif intérêt. D'abord le prisonnier était jeune et beau garçon. Puis Romaine Heilger, principal témoin de l'accusation, avait eu son portrait dans plusieurs journaux, de sorte que diverses versions circulaient quant à son origine et à son passé.

L'audience débuta dans le calme. Plusieurs rapports techniques furent rendus publics. L'avocat de la défense parvint à relever les contradictions dans le récit de la bonne quant aux relations de Vole avec Miss French, puis il souligna que, tout en déclarant avoir entendu une voix d'homme dans le salon le soir du crime, rien ne prouvait que ce fût celle de l'accusé. Il parvint à démontrer qu'un sentiment de jalousie envers le prisonnier constituait le mobile auquel obéissait le témoin.

Le témoin suivant fut appelé.

— Vous vous appelez Romaine Heilger ?

— Oui.

— Vous êtes Autrichienne ?

— Oui.

— Depuis trois ans vous avez vécu avec le prisonnier en vous faisant passer pour son épouse ?

Pendant un court instant les yeux de Romaine se croisèrent

avec ceux du prisonnier et jetèrent une lueur étrange. Elle répondit :

— Oui.

L'interrogatoire se poursuivit et, peu à peu, les détails accusateurs se précisèrent : le soir du crime, Vole était parti en emportant une barre de fer. Il était rentré à dix heures vingt et avait avoué qu'il venait de tuer la vieille dame. Ses manchettes étaient tachées de sang et il les avait brûlées dans le fourneau de la cuisine. Puis, il terrorisa Romaine par des menaces de mort pour obtenir son silence.

A mesure que Romaine parlait, les sentiments des juges, d'abord plutôt favorables au prisonnier, lui devenaient entièrement hostiles. Lui s'affaissait, la tête basse comme un homme qui se sent perdu. On remarqua que l'avocat de Romaine, lui-même, cherchait à minimiser cette animosité de sa cliente, car il eût préféré la voir moins agressive.

Le défenseur de Vole se dressa grave, menaçant. Il accusa la femme d'avoir menti tout au long de sa déposition. A l'heure du crime elle n'était même pas chez elle, elle était éprise d'un autre homme et essayait délibérément de faire condamner Vole en l'accusant d'un crime qu'il n'avait pas commis. Romaine nia avec une assurance tranquille.

Vint ensuite l'étrange et spectaculaire dénouement : la lecture de la terrible lettre, faite à haute voix au milieu d'un silence impressionnant : *« Mon Max bien aimé, le destin nous a délivrés. Il a été arrêté pour meurtre, oui, pour avoir assassiné une vieille dame, lui, Leonard, qui ne ferait pas de mal à une mouche ? Le pauvre imbécile. Je dirai qu'il est rentré, ce soir-là couvert de sang et qu'il m'a tout avoué. Je le ferai pendre ! Max et, en mourant, il comprendra que c'est Romaine qui l'a tué... et ensuite, chéri, nous connaîtrons enfin le bonheur. »*

Il y eut des experts prêts à jurer que l'écriture était celle de Romaine Heilger, mais ce ne fut pas nécessaire car, lorsqu'on lui montra la lettre, elle s'effondra et avoua. Leonard Vole était bien rentré à neuf heures vingt comme il l'avait dit et elle avait inventé le reste pour le perdre.

Cette fausse déposition porta un coup fatal à l'accusation. Sir Charles fit comparaître ses témoins : Vole lui-même fut interrogé et déposa avec un calme qui réduisit à néant toutes les questions des accusateurs. Ceux-ci tentèrent de se rattraper mais sans succès. Le résumé du Ministère Public ne fut pas entièrement favorable à Vole, mais les jurés avaient réagi et ne tardèrent pas à déclarer :

— Nous estimons que l'inculpé n'est pas coupable.

Il était libre.

Le petit Mayherne se leva vivement pour aller féliciter son client et commença à frotter vivement son lorgnon. Puis il s'arrêta, car sa femme lui avait dit la veille que ce geste devenait chez lui un véritable tic. C'était curieux car il ne s'en rendait pas compte.

Cette affaire était vraiment fort intéressante et il pensa à Romaine Heilger dont la personnalité étrange avait retenu son attention.

Dans sa maison de Paddington, elle lui avait donné l'impression d'être une femme énergique mais calme, tandis qu'au tribunal elle étincela comme une fleur des tropiques... En fermant les yeux, Mayherne crut la revoir pencher en avant son corps superbe, tandis qu'elle refermait et ouvrait sans cesse la main droite... Curieuse habitude probablement, mais n'avait-il pas vu récemment, une autre personne avoir le même tic ? L'avocat sursauta car la mémoire lui revenait brusquement. C'était la vieille mendiante de Shaw's Rents !

Mayherne dont la tête tournait, se figea sur place. C'était impossible, absolument impossible ! Pourtant Romaine Heilger était actrice...

Le juge s'approcha de lui par-derrière et lui frappa sur l'épaule.

— Avez-vous félicité votre client ? Il s'en est tiré de justesse, venez le voir.

Mais le petit défenseur recula car il ne souhaitait plus qu'une chose : voir Romaine Heilger face à face.

Il n'en eut pas l'occasion tout de suite ; mais dès que ce fut possible et qu'il lui eut dit ce qu'il pensait, elle répondit :

— Donc vous avez deviné ? Ce ne fut pas difficile pour moi, car la clarté du bec de gaz était trop faible pour que vous puissiez discerner mon maquillage.

— Mais pourquoi, pourquoi...

— Pourquoi, j'ai joué cette comédie ? Il me fallait le sauver et le témoignage d'une femme dévouée n'eût pas suffi, vous me l'aviez dit vous-même. Toutefois, je connais la psychologie des foules. Si mes paroles à l'audience semblaient m'être arrachées, elles me condamnaient aux yeux de la loi pour un premier témoignage faux, mais le prisonnier bénéficierait aussitôt d'un préjugé favorable.

— Et le paquet de lettres ? Pourquoi autant ?

— S'il n'y en avait eu qu'une, la plus importante, elle, eût paru fabriquée.

— Alors, le dénommé Max ?

— N'a jamais existé, mon cher.

— Je persiste à croire, déclara Mayherne d'un air vexé, que nous aurions pu faire acquitter Vole par une procédure normale.

— Je n'ai pas osé le risquer ? Vous le supposiez innocent.

— Je comprends, murmura Mayherne. Vous en étiez sûre...

— Vous n'y êtes pas, répliqua Romaine. Moi, je savais... qu'il était coupable.

TRADUIT DE L'ANGLAIS PAR MIRIAM DOU

T. S. F.

‹ Wireless ›

LA RADIO

— Et surtout, évitez les ennuis et les émotions, recommanda
le docteur Meynell de son air bon enfant.

Comme c'était le cas la plupart du temps dans de telles
circonstances, la patiente, Mrs. Harter, se sentit aussitôt moins
rassurée sur son sort. Le médecin ne parut pas s'en apercevoir
et poursuivit imperturbable :

— Evidemment, votre cœur montre quelques signes de
fatigue, mais ce n'est pas du tout inquiétant, je vous l'assure.
Pourtant, ajouta-t-il après un instant de réflexion, il me
semble que pour vous éviter tout surmenage, vous devriez vous
faire installer un ascenseur. Qu'en pensez-vous ?

Ce qu'elle en pensait ? Il n'était pas besoin d'être très
psychologue pour le deviner ! Si on lui conseillait cela, c'est
qu'elle devait être bien plus malade qu'on ne voulait le lui dire !

Sans se douter de ce qui se passait dans l'esprit de sa
patiente, le bon docteur, toujours amène et tout content d'avoir
déployé autant d'adresse vis-à-vis de l'une de ses plus riches
malades, développait sa pensée avec complaisance :

— Oui, un ascenseur, ainsi nous éviterions la moindre
fatigue inutile. Non que je vous défende de prendre de
l'exercice, au contraire, un peu de marche à pied au grand air
ne peut que vous faire du bien, à condition que vous évitiez
toutefois les montées trop abruptes. En un mot ne faites rien
de pénible, mais distrayez-vous le plus possible. Il est primor-
dial de garder bon moral, ce qui ne doit pas être très difficile
puisque vous voilà rassurée sur votre santé !

Le docteur Meynell adorait ce genre de cliente favorisée par la fortune, à qui l'on pouvait prescrire un ascenseur sans s'attirer de protestations. Cela le changeait des pilules de toutes sortes sur lesquelles il devait se rabattre avec ses patients moins riches.

Néanmoins, il crut bon d'avertir Charles Ridgeway, le neveu de Mrs. Harter, de l'état véritable de sa tante :

— Elle a le cœur fragile. Bien entendu, elle peut vivre ainsi pendant des années et c'est tout le mal que je lui souhaite. Cependant elle peut mourir subitement à la suite d'une émotion brutale. C'est pourquoi il lui faut absolument une vie calme et tranquille. Pas d'émotions, pas de fatigue, pas d'énervements. Puisque vous vivez avec elle, vous trouverez certainement le moyen de la distraire car il ne faut pas non plus qu'elle s'ennuie.

— La distraire..., fit Charles, l'air songeur.

C'était un jeune homme sérieux qui paraissait très attaché à sa tante. Du moment que le médecin avait demandé de la distraire, il se mit à chercher le moyen d'y parvenir. C'est ainsi que sans plus attendre il lui proposa de lui faire installer un poste de radio.

Mrs. Harter manqua pour le moins d'enthousiasme :

— Une radio ? Que veux-tu que j'en fasse, Charles ? Le médecin veut déjà que je fasse installer ici un ascenseur ! Où vous arrêterez-vous tous les deux ? Je suis trop vieille pour me faire à tous ces engins modernes. Et puis, d'ailleurs, je suis certaine que toute cette électricité serait plus nuisible qu'utile.

Charles, qui n'abandonnait jamais facilement une idée, surtout lorsqu'il la jugeait bonne, entreprit d'expliquer à sa tante combien ses préventions à l'égard du progrès en général, et de l'électricité en particulier, étaient vaines et sans objet. Mrs. Harter dont les connaissances en la matière étaient plutôt vagues, ne se laissa pas aisément convaincre :

— Tu as sans doute raison, mon petit, mais je t'assure que je suis plus sensible que tout autre à tout ce qui est électrique. Ainsi, chaque fois qu'il y a de l'orage, j'ai immanquablement une migraine atroce...

— Voyons, tante Mary, laissez-moi vous expliquer la différence qui existe entre l'électricité statique contenue dans l'air à l'approche de l'orage et le courant qui permet à un appareil de radio de fonctionner.

Charles faisait autorité en la matière et il donna à sa tante un véritable petit cours sur les ondes de basses et hautes fréquences, sur les courants continus et alternatifs, si bien que Mrs. Harter se sentit vite submergée par un flot de termes techniques, auxquels elle ne comprenait goutte. De guerre lasse, elle rendit les armes :

— Bien, bien, si tu penses vraiment que cela ne présente aucun danger.

La joie de Charles faisait plaisir à voir :

— Ma chère petite tante, j'en suis certain et je suis heureux que vous acceptiez de changer un peu vos habitudes. Cette radio vous permettra de vous tenir au courant de tout ce qui se passe dans le monde. Lorsque vous vous y serez accoutumée, vous ne pourrez plus vous en passer.

*
* *

L'ascenseur préconisé par le docteur Meynell fut bientôt installé et peu s'en fallut que l'invasion d'ouvriers qu'il amena obligatoirement dans la maison ne mit fin prématurément à la vie de la vieille dame qui, comme bien des personnes de son âge, supportait mal la présence des étrangers chez elle. Elle les soupçonnait tous des intentions les plus noires à son égard et surveillait son argenterie à tout moment.

Enfin, le jour vint où l'ascenseur entra en fonction et où la maison fut débarrassée des importuns. Ce fut au tour de la fameuse radio de troubler les habitudes de la maîtresse des lieux. En apercevant la boîte oblongue, agrémentée de boutons dorés, elle ne put réprimer un geste de dégoût, voire même de répulsion.

Il fallut l'enthousiasme de son neveu pour la faire revenir sur sa première impression. Elle s'installa, sur sa demande, dans son fauteuil près de la cheminée, cantonnée dans une réserve polie, bien convaincue à part elle que cette horrible machine ne pouvait être qu'une source d'ennuis dans l'avenir.

— Ecoutez donc, tante Mary, n'est-ce pas merveilleux ? Un tout petit tour à droite et nous avons Berlin, un demi-tour à gauche et voilà Bruxelles.

— Je t'avoue que je n'entends que de vagues bourdonnements proprement incompréhensibles.

Rien ne pouvait affecter le bel optimisme du jeune homme :

— Le vendeur m'a affirmé qu'à certaines heures, on peut capter le Japon.

— Est-ce possible ? fit Mrs. Harter d'un air tout à fait indifférent.

Charles poursuivit son exploration sur le cadran lumineux. Tout à coup, sa tante, qui ne manquait pas d'esprit, lui fit remarquer que cette fois-ci, l'émission devait provenir en direct d'un chenil de sa connaissance. Le neveu s'esclaffa :

— Je vois que cela commence à vous intéresser, ma tante. J'en suis heureux car je sais que cela vous tiendra compagnie lorsque je serai obligé de m'absenter.

Mrs. Harter ne put s'empêcher de lui sourire. Elle aimait beaucoup son neveu. Durant quelques années, elle avait fait venir auprès d'elle l'une de ses nièces, Miriam Harter, avec l'intention d'en faire son héritière. Malheureusement l'expérience ne s'était guère révélée concluante. Miriam avait un caractère odieux et détestait visiblement la compagnie de sa tante. Petit à petit la vie entre elles était devenue très difficile et Mrs. Harter profita du fait que Miriam s'était fiancée soudain avec un jeune homme dont la réputation était quelque peu doûteuse, pour la renvoyer chez sa mère avec un petit mot d'explication assez sec. Depuis, Miriam avait épousé le jeune homme en question et avait plusieurs enfants. Mrs. Harter se contentait désormais de lui envoyer un petit cadeau sans importance chaque année à Noël.

Déçue par sa nièce, elle s'était rabattue sur ses neveux. L'un d'entre eux, Charles, lui avait plu tout de suite. Elle n'eut qu'à se louer de sa présence à ses côtés. Toujours aimable et déférent, il paraissait prendre un intérêt toujours renouvelé à ses souvenirs de jeunesse, ce en quoi il offrait un contraste saisissant avec Miriam qui ne s'était pas gênée pour lui dire tout le mal qu'elle en pensait. Charles, en outre, avait un caractère toujours égal, gai et savait remercier sa tante de la chance merveilleuse qu'elle lui offrait.

Satisfaite de son neveu, Mrs. Harter fit un nouveau testament en sa faveur, qui annulait ainsi le précédent, et déshéritait Miriam.

*
* *

Une fois de plus, Charles eut raison : cette radio qu'elle

34

avait d'abord accueillie avec tant de répugnance finissait par l'amuser vraiment. Elle l'écoutait sans cesse. Malheureusement, lorsque Charles passait la soirée à la maison, c'était lui qui tournait les boutons à sa place et au lieu de se contenter d'écouter une émission du commencement jusqu'à la fin, il essayait toujours de capter des postes de plus en plus lointains. Lorsqu'il y parvenait, son enthousiasme ne connaissait plus de bornes. Mrs. Harter profitait donc pleinement des soirées où elle restait seule. Elle choisissait alors un programme avec soin et s'y tenait jusqu'à la fin avec une délectation véritable.

Ce fut environ trois mois après l'installation de son poste que « cela » arriva pour la première fois. Charles était allé bridger avec quelques amis. Elle se trouvait donc seule et écoutait paisiblement la retransmission d'un opéra. Tout à coup, au milieu d'une mélodie, elle entendit un curieux bourdonnement, suivi d'un silence impressionnant, puis, comme si elle venait de très loin, à la fois distincte et étouffée, une voix d'homme s'éleva :

— Mary ! Mary ! M'entends-tu ? C'est Patrick qui te parle... Je vais bientôt venir te chercher... Tiens-toi prête, n'est-ce pas ?

Puis, sans transition, la musique reprit, plus forte, tout se déroulait normalement.

Les deux mains collées sur les accoudoirs de son fauteuil, Mrs. Harter restait clouée par la surprise. Non ! C'était impossible ! Comment Patrick pouvait-il lui parler, alors qu'il était mort depuis plus de vingt-cinq ans ? Il ne pouvait s'agir que d'une étrange hallucination... d'un rêve. Elle avait dû s'endormir sans s'en rendre compte. C'était tout de même curieux de rêver ainsi à Patrick, guère agréable, en tout cas pas dans ces conditions. Que disait-il déjà ? « Je vais bientôt venir te chercher. Tiens-toi prête... ».

S'agissait-il d'un avertissement de l'au-delà ? Le docteur lui avait bien dit qu'elle avait le cœur malade ! Et puis, après tout elle n'était plus toute jeune.

— C'est certainement un avertissement, conclut Mrs. Harter, et sa première réaction fut de regretter d'avoir dépensé tant d'argent pour faire installer un ascenseur qui ne lui servirait à rien.

Elle ne parla à personne de ce qui s'était passé ce soir-là, mais elle y repensa souvent.

Puis, « cela » recommença.

Elle était encore seule, ce soir-là, comme par hasard. La radio transmettait un concert. Puis ce fut le même bourdonnement, suivi du même silence impressionnant, et la même voix lointaine à l'accent légèrement irlandais se fit entendre :

— C'est Patrick qui te parle, Mary. L'heure approche où je vais venir te chercher...

Comme si rien ne s'était passé, l'orchestre reprit de plus belle.

Mrs. Harter regarda l'horloge qui se trouvait sur la cheminée. Cette fois-ci elle était tout à fait certaine de n'avoir pas dormi. Bien éveillée et en possession de ses facultés, elle avait bel et bien entendu la voix de son défunt mari. Il ne s'agissait pas d'une hallucination. Confusément, elle tenta de se rassurer en se remémorant la leçon que lui avait faite son neveu sur les ondes magnétiques.

Serait-ce vraiment possible que Patrick se soit adressé à elle ? Sa voix n'était pas très reconnaissable, il est vrai, à part cet accent irlandais, mais peut-être avait-elle été déformée par la distance ! Patrick avait une voix assez rauque, très spéciale et très basse, ce qui n'était pas le cas de celle qu'elle venait d'entendre. Mais sans doute cette déformation des sons s'expliquait techniquement. Tout à coup elle regretta de n'avoir pas mieux écouté Charles lorsqu'il lui avait exposé quelques données sur les phénomènes électriques.

Quoi qu'il en soit, elle décida de prendre au sérieux l'annonce de sa fin prochaine et sonna sa femme de chambre. Elisabeth vint aussitôt. C'était une grande femme maigre d'une soixantaine d'années qui, sous des dehors un peu rudes, cachait un cœur tout dévoué à sa maîtresse.

— Elisabeth, vous souvenez-vous du jour où vous m'avez vu ranger mon bureau ?

— Oui, Madame.

— Je vous ai fait remarquer alors que je plaçais une grande enveloppe blanche et cachetée dans le petit tiroir de gauche, en haut.

— Je me le rappelle, Madame.

— Ce tiroir est fermé à clef. Cette dernière se trouve dans mon trousseau personnel. La voici.

Elle lui montra une petite clef :

— Vous voyez, elle porte une marque blanche sur l'anneau. Cette lettre est très importante. Ce sont mes dernières volontés.

— Madame...

— Tout y est indiqué pour mon enterrement.

Le visage d'Elisabeth se crispa de chagrin :

— A quoi bon parler de tout cela, Madame. Vous vous portez beaucoup mieux, maintenant.

— Il faut bien s'attendre à mourir un jour ou l'autre. J'ai soixante-dix ans, le cœur malade et l'habitude de regarder les choses en face au lieu de pleurnicher comme vous le faites. Si vous ne pouvez vous en empêcher, j'aime autant que vous vous en alliez.

Incapable de maîtriser son chagrin, Elisabeth quitta donc la pièce suivie des yeux par sa maîtresse attendrie :

— Un peu sotte, ma pauvre Elisabeth, mais si fidèle... oui, si fidèle. Voyons, combien lui ai-je laissé dans mon testament ? Cinquante livres ou cent ? Il faut que je m'en assure. J'espère qu'il s'agit de cent livres, elle les mérite bien après tout ce temps qu'elle a passé avec moi.

La question la préoccupa si bien que, dès le lendemain matin, elle écrivit à son avoué pour lui demander de lui envoyer son testament afin qu'elle y apporte quelques modifications.

La journée ne devait d'ailleurs pas se terminer sans une nouvelle source d'étonnement. Au cours du dîner, Charles lui posa une question étrange :

— Imaginez-vous, tante Mary, que ce matin je suis entré par mégarde dans le petit fumoir où nous ne nous tenons jamais. J'ai été frappé par le tableau qui se trouve au-dessus de la cheminée, vous voyez sans doute ce que je veux dire : c'est le portrait d'un drôle de bonhomme en favoris et casque colonial.

Mrs. Harter eut un haut-le-cœur devant tant de désinvolture :

— C'est de ton oncle Patrick que tu parles de cette manière, Charles !

Le jeune homme parut vraiment confus.

— Quel étourdi je fais. Je vous supplie de me pardonner ma légèreté, mais je vous assure que jamais je n'ai eu la moindre intention de vous peiner.

— Je te crois, Charles.

— Je me demande vraiment pourquoi...

Il se tut, indécis. Sa tante le pressa de poursuivre :

— Que veux-tu dire, Charles ?

— Rien... cela n'a vraiment pas le sens commun.

Sur le moment, elle n'insista pas, mais le lendemain, lorsqu'ils furent seuls tous les deux, elle l'interrogea à nouveau :

— J'aimerais savoir ce qui semblait tellement t'intriguer au sujet du portrait de ton oncle.

Charles parut très embarrassé :

— Je vous l'ai déjà dit, ma tante, ce n'était qu'une idée en l'air et tellement absurde.

— Je veux que tu me dises ce que c'est.

Lorsque Mrs. Harter prenait ce ton autoritaire, il n'y avait guère qu'à lui obéir, ce que fit son neveu.

— Eh bien, tant pis pour moi... lorsque j'aurai parlé, je suis certain que vous vous moquerez de moi et vous aurez bien raison.

— Au fait, je t'en prie.

— Figurez-vous qu'avant-hier soir, en rentrant à la maison, j'ai cru apercevoir une silhouette penchée à la fenêtre du bout au premier étage. La nuit était très sombre et vous savez aussi bien que moi combien la lueur des phares peut être trompeuse. Ce n'était probablement qu'un simple reflet, pourtant j'ai bien cru le voir.

— Le voir ? Qui donc ?

— Cet homme aux favoris, oncle Patrick ! J'avoue que sur le moment je me suis vraiment demandé de qui il pouvait bien s'agir. Son visage m'était tout à fait inconnu, et puis il était vêtu de si curieuse manière ! J'ai même demandé à Elisabeth si vous aviez eu une visite ce soir-là.

— Elle a dû te répondre qu'il n'en était rien.

— En effet. J'en ai donc conclu que je m'étais trompé. Jugez donc de ma surprise lorsque le lendemain matin, en rentrant tout à fait par hasard dans le fumoir, alors que je ne crois pas y avoir mis les pieds depuis mon arrivée, j'aperçus ce portrait, c'était, trait pour trait, celui de l'homme que j'avais cru voir la nuit précédente !

— C'est très étrange, en effet.

— Pas autant qu'on pourrait le penser, ma tante. Mon subconscient m'a trahi tout simplement. J'ai déjà dû entrer dans ce fumoir bien que je l'aie oublié. Sans m'en rendre compte, j'ai remarqué ce tableau, puis, à la suite de je ne sais trop quelle association d'idées, j'ai replacé ce visage qui m'avait tant frappé, sans que je m'en doute, sur une simple zone d'ombre dessinée dans l'embrasure de cette fenêtre par le halo de mes phares.

— Tu veux parler de la dernière fenêtre à gauche sur la façade ?

— Oui, pourquoi ?

— Pour rien.

« Cette fenêtre, c'est justement celle de la chambre de Patrick », songea la vieille dame, qui se sentait de plus en plus cernée par le « surnaturel ».

Ce même soir, Charles dîna en ville. Mrs. Harter s'installa devant sa radio comme d'habitude. Si, pour la troisième fois, elle entendait la voix de Patrick, elle ne pourrait plus avoir de doute sur la valeur de l'avertissement de l'au-delà.

Elle attendit de pied ferme, mais le cœur battant. Ce ne fut pas long. L'émission s'interrompit comme les autres fois, il y eut un instant de silence, puis la voix lointaine retentit faiblement :

— Mary... Mary..., je pense que tu es prête maintenant. Je viendrai te chercher vendredi soir, à neuf heures et demie ; ne crains rien, tout se passera très vite, sans la moindre souffrance, sois prête.

Très pâle, Mrs. Harter nota rapidement ce qu'elle venait d'entendre :

« Ce soir, à neuf heures et quart, j'ai entendu très nettement la voix de mon mari, mort depuis vingt-cinq ans. Il m'annonçait ma fin pour vendredi soir à neuf heures et demie. Si cela se réalise, j'aimerais, cher docteur, que vous fassiez le nécessaire afin que tout le monde sache qu'il est possible, dans certains cas, de communiquer avec l'au-delà.

Mary Harter. »

Elle plia sa lettre, la mit sous enveloppe qu'elle cacheta et appela sa femme de chambre :

— Elisabeth, s'il m'arrive quelque chose dans la nuit de vendredi à samedi, vous donnerez cette lettre au docteur Meynell, s'il vous plaît.

Elle arrêta d'un geste les protestations éplorées qu'elle redoutait par-dessus tout :

— Je vous en prie, restez calme. Vous m'avez si souvent

parlé d'avertissements terrestres, confirmés par la suite, que vous ne pouvez pas ne pas me comprendre aujourd'hui. Sachez donc que j'ai le pressentiment que je n'en ai plus pour très longtemps. A ce sujet, j'ai quelque chose à vous dire. Dans mon testament je vous ai laissé cinquante livres. Réflexion faite, je voudrais doubler cette somme. Si jamais je ne pouvais me rendre à la banque à temps, Mr. Charles fera le nécessaire pour vous en verser le complément.

En conséquence elle en parla à son neveu :

— Si jamais il m'arrivait quelque chose avant que je puisse aller retirer de l'argent à la banque, n'oublie surtout pas de verser cinquante livres à Elisabeth, Charles ! Je lui ai légué la même somme par testament, mais je ne trouve pas cela suffisant en regard des services rendus. Surtout penses-y bien !

— Vous n'êtes guère optimiste aujourd'hui, ma chère petite tante, fit Charles avec gentillesse. Que voulez-vous qu'il vous arrive ? Le docteur Meynell assure que vous aurez encore bon pied, bon œil pour vos cent ans, alors à quoi riment toutes ces dispositions de dernière minute ?

Mrs. Harter sourit en haussant les épaules, puis lui demanda à brûle-pourpoint ce qu'il comptait faire dans la soirée de vendredi. La question parut prendre le jeune homme au dépourvu :

— Vendredi ? En principe, je dois aller jouer au bridge chez les Ewig, mais, si vous avez envie que je vous tienne compagnie, j'y renoncerai avec le plus grand plaisir.

— Surtout pas, mon cher petit. Cette nuit-là, plus qu'une autre, je préfère être seule.

Charles lui adressa un coup d'œil interrogateur, mais, comme elle ne montrait pas la moindre intention de s'expliquer là-dessus, il n'insista pas. Mrs. Harter était une personne pleine de détermination et de volonté.

Elle s'était toujours efforcée d'agir avec courage, elle n'allait pas faiblir maintenant. Elle attendrait donc seule l'heure de cet étrange rendez-vous.

*
* *

Le vendredi soir arriva, Mrs. Harter s'installa comme de coutume dans son grand fauteuil, tout près de la cheminée où brûlait gaiement un feu de bois. A part le crépitement des flammes, tout était silencieux dans la grande maison vide.

Elle était prête : le matin, ayant passé à la banque et retiré cinquante livres, elle les avait données de la main à la main à Elisabeth malgré les protestations et les larmes de celle-ci. Puis elle avait mis toutes ses affaires en ordre, fait trois ou quatre petits paquets de bijoux destinés à des amies et à de vagues cousines. Elle avait enfin écrit une lettre à son neveu, par laquelle elle le priait de faire parvenir son service à thé en Worcester à sa cousine Emma et les deux grands vases de Sèvres au jeune William.

Maintenant elle se sentait infiniment lasse. Elle ferma un instant les yeux, puis, se reprenant, ouvrit la grande enveloppe bleue qu'elle venait de recevoir de l'étude de maître Hopkinson et qui contenait le manuscrit de son deuxième testament, celui par lequel elle instituait Charles comme légataire universel. Elle le relut rapidement. Tout y était très clair. A part les cinquante livres destinées à Elisabeth (elle avait donc bien fait de compléter la somme en question) et deux legs de cinq cents livres chacun pour sa sœur et sa cousine germaine, tout revenait à son neveu.

Charles serait très riche ce qui n'était que justice, après tout, car il avait véritablement ensoleillé ses derniers moments. Jamais elle ne l'avait vu autrement que gai, aimable et affectueux.

Un coup d'œil sur l'horloge lui apprit qu'il était bientôt la demie. Bien qu'un peu crispée, elle s'étonnait d'être aussi calme. La radio marchait en sourdine. Peut-être allait-elle entendre à nouveau la voix de Patrick ?

Rien de tel. Au lieu de cela, un bruit bien anodin et familier, qui cependant lui glaça le cœur : on frappait à la porte d'entrée.

On frappa encore, elle entendit ensuite la porte s'ouvrir et quelqu'un marcher dans le hall. Puis la porte du salon où elle se trouvait s'entrouvrit silencieusement.

Elle se sentit soudain prise de panique ; elle se leva, le document qu'elle tenait à la main glissa sur le sol et atterrit dans la cheminée où il se consuma aussitôt.

La porte s'ouvrit davantage et elle aperçut dans l'ombre du vestibule une silhouette qu'elle reconnut aussitôt : un homme dont le visage portait des favoris sombres et dont le costume datait de la reine Victoria.

« Patrick est réellement venu me chercher ! » songea-t-elle avec terreur. Elle porta la main à son cœur, voulut crier, mais son cri dégénéra en râle. Elle s'affaissa sur le sol, sans vie.

*
* *

Elisabeth la découvrit ainsi, une heure plus tard. Elle appela immédiatement le médecin qui ne put que constater le décès. Elle téléphona ensuite à Charles qui se trouvait chez ses amis comme il l'avait annoncé et qui accourut aussitôt.

Dans son affolement, la femme de chambre oublia les recommandations de sa maîtresse et ce ne fut que deux jours plus tard qu'elle remit la lettre de Mrs. Harter au docteur. Ce dernier la montra à Ridgeway :

— Quelle curieuse coïncidence ! Votre tante était pourtant une personne très réaliste et cela m'étonne qu'elle ait pu vraiment croire entendre son mari lui parler. Ses nerfs l'auront trahie. Mon pauvre ami, malgré toutes les précautions dont vous l'entouriez, vous n'avez rien pu faire contre cela ! L'autopsie sera très rapide et je vous en ferai connaître le résultat au plus tôt.

Dans de telles circonstances, l'autopsie était de rigueur et Charles savait pertinemment qu'il n'avait rien à craindre à ce sujet. D'ailleurs, il avait fait preuve de la plus grande prudence dès le début de son entreprise. La nuit même de la mort de sa tante, lorsque tout le monde s'était retiré et qu'il s'était assuré qu'Elisabeth ne le dérangerait pas, il avait enlevé le fil qui reliait le poste de radio de sa tante à l'émetteur qu'il possédait dans sa chambre. Puis, brûlé dans la cheminée la paire de favoris postiches qui accentuèrent sa ressemblance certaine avec son oncle et qu'il avait tout de suite remarquée. Quant au costume démodé endossé quelques heures auparavant, il l'avait remis au grenier dans la grande malle d'où il n'aurait jamais dû sortir.

Il se sentait très tranquille, très satisfait, sans l'ombre d'un remords. Après tout, qu'avait-il fait de mal ? Une simple farce, même un peu macabre, ne peut en aucun cas être assimilée à un acte criminel. C'est après avoir entendu le docteur Meynel lui dire que sa tante pouvait encore vivre des années à condition de lui éviter des émotions qu'il avait eu l'idée de ce scénario tragi-comique. Puisqu'une grande frayeur pouvait être fatale à la vieille dame, il décida de lui en fournir l'occasion. Ce qui réussit parfaitement.

Pourtant, il l'aimait bien cette tante à héritage, et s'il n'avait eu le couteau sur la gorge, jamais il n'aurait songé à l'envoyer « ad patres ». Mais il lui fallait de l'argent, beaucoup d'argent et dans un temps record. Personne, et sa tante moins que tout autre, ne se doutait des difficultés dans lesquelles il se débattait depuis quelque temps, des difficultés qui, sans l'appoint providentiel d'une somme importante, ne pouvaient que le mener en prison. Heureusement, tout était arrangé maintenant. Le scandale, la ruine évités grâce à son habile stratagème, Charles était très content de lui !

Perdu dans ses réflexions, il entendit à peine Elisabeth lui annoncer la visite de maître Hopkinson. Se composant un visage de circonstance malgré son contentement intérieur, il rejoignit l'homme de loi dans la bibliothèque.

— Bonjour, Mr. Ridgeway. J'avoue ne pas très bien comprendre les termes de votre lettre. Vous paraissez croire que le testament de votre tante se trouve en ma possession.

— Sans doute. Ma tante me l'a appris lors d'une conversation que nous avons eue ensemble.

— Il l'était en effet.

— Dois-je comprendre par là qu'il ne l'est plus ?

— Exactement. Mardi dernier, Mrs. Harter m'a écrit pour me demander de le lui envoyer car elle désirait y apporter quelques modifications.

Charles eut tout à coup le pressentiment d'un grand malheur :

— Je suppose qu'il doit se trouver dans ses papiers, reprit l'avoué. Les avez-vous examinés ?

Soucieux de ne pas se trahir, Charles préféra se taire. Pourtant son premier soin, après la mort de sa tante, fut de fouiller son bureau et il était tout à fait sûr qu'aucun testament ne s'y trouvait.

Mr. Hopkinson examina donc les papiers de la défunte et n'y trouvant rien naturellement, il interrogea Elisabeth :

— Vous avez dû ranger la chambre de votre maîtresse, n'est-ce pas ? N'y auriez-vous rien trouvé qui ressemblât à un testament ?

— Non, d'autant plus que je sais parfaitement de quoi il s'agit, puisqu'elle l'a écrit en ma présence. Même je peux vous dire qu'elle le lisait le matin même de sa mort.

— En êtes-vous sûre ?

Elisabeth inclina la tête d'un air accablé :

— Tout à fait. D'ailleurs elle m'en a parlé. Elle m'a même forcée à accepter cinquante livres en argent liquide, parce qu'elle trouvait que les cinquante autres qu'elle m'avait léguées n'étaient pas suffisantes. Le testament en question se trouvait dans une grande enveloppe bleue.

— C'est exact, fit Mr. Hopkinson.

— Maintenant que vous m'y faites penser, reprit Elisabeth, cette même enveloppe se trouvait sur cette table, le matin après sa mort. Je l'ai mise sur le bureau. Elle était vide.

— Je me souviens en effet de l'y avoir vue, remarqua Charles.

Il se leva pour prendre dans le petit secrétaire de sa tante l'enveloppe bleue vide que reconnut aussitôt l'avoué.

— Pas de doute, c'est bien celle dans laquelle j'ai adressé le testament à votre tante, mardi dernier.

Tout à coup, maître Hopkinson parut avoir une idée :

— Pouvez-vous me dire s'il y avait du feu dans la cheminée, le soir de la mort de Mrs. Harter.

— Bien sûr, Monsieur, comme d'habitude.

— Merci beaucoup, Elisabeth, vous pouvez vous retirer.

Les deux hommes restèrent un moment silencieux ; Charles semblait mal à l'aise.

— Que pensez-vous de tout ceci, maître ? Quelles sont vos intentions ?

L'avoué hocha la tête d'un air perplexe :

— Tout espoir de retrouver ce testament n'est pas encore perdu, rassurez-vous. Bien entendu, si c'était le cas...

— Si c'était le cas ?

— Que voulez-vous que je vous dise ? Je ne pourrais en conclure que votre tante m'a demandé de lui renvoyer ce document pour le détruire...

— Mais pourquoi. Pourquoi aurait-elle agi ainsi ?

Mr. Hopkinson se râcla la gorge à plusieurs reprises, comme pour masquer sa gêne :

— Mr. Ridgeway ! Permettez-moi une question : Ne vous êtes-vous pas disputé avec votre tante récemment ?

— Mais non, je vous assure. Nous étions en très bons termes. Jusqu'à la fin.

— Ah ! fit l'avoué en évitant de rencontrer son regard.

Charles comprit que Hopkinson ne le croyait pas. Peut-être était-il au courant de ses ennuis d'argent. Quoi de plus naturel, dans ces conditions, qu'il pensât que de telles rumeurs étaient venues jusqu'aux oreilles de sa cliente et que, déçue par la conduite de son neveu, elle ait tout à coup désiré réduire son legs.

Ironie du sort : lorsque Charles mentait, on le croyait sans difficulté ; pour une fois qu'il disait la vérité, on mettait sa parole en doute.

Il savait pertinemment que sa tante n'avait jamais eu l'intention de brûler le testament... le brûler ! Tout à coup, il se souvint. En apercevant le « fantôme » de Patrick, sa tante s'était levée, les yeux horrifiés, la main sur le cœur. Voyons, il ne rêvait pas ! Il avait bel et bien vu glisser de sa main un papier qui était tombé dans l'âtre pour s'y consumer aussitôt. Le testament ! C'était sûrement cela !

Il pâlit affreusement et entendit vaguement une voix rauque, la sienne, demander :

— Qu'arrivera-t-il si ce testament n'est jamais retrouvé ?

— Nous avons gardé dans le dossier celui qu'elle avait déposé en 1920 et par lequel elle faisait de sa nièce, Miriam Harter, sa légataire universelle. C'est celui-là, qui, seul, aura de la valeur.

Que lui racontait donc ce vieux fou ? Miriam allait hériter à sa place ? Miriam dont le mari déplaisait souverainement à sa tante ? Miriam et ses quatre rejetons ! Dire qu'il s'était donné tout ce mal pour sa cousine ! Charles était désespéré.

Le téléphone se mit à sonner. Il décrocha d'un geste machinal :

— Allô ?

— Ici le docteur Meynell. C'est vous Ridgeway ? J'ai sous les yeux le résultat de l'autopsie et j'ai pensé que vous aimeriez être au courant : comme je vous l'ai dit, c'est le cœur qui a flanché. Mais, contrairement à ce que je croyais après l'avoir auscultée, elle était au bout du rouleau, autrement dit, elle n'avait guère plus de quelques semaines à vivre, malgré toutes les précautions possibles. J'ai pensé que cela vous apporterait quelque consolation.

— Quoi ? Que me dites-vous ? Pouvez-vous répéter ce que vous venez de me dire, docteur ?

— Bien volontiers. Je vous disais que votre tante était condamnée et qu'en étant optimiste, elle ne pouvait guère vivre au-delà d'un mois ou deux.

Charles n'en put entendre davantage et raccrocha brutalement.

Son trouble était tel qu'il ne s'aperçut pas tout de suite qu'on lui parlait :

— Voyons, Mr. Ridgeway, disait Mr. Hopkinson réellement inquiet devant la pâleur de son interlocteur. Qu'avez-vous donc ? Vous n'allez tout de même pas vous évanouir !

Qu'ils aillent donc tous au diable, ce damné Hopkinson, cet âne bâté de docteur, tout était fini pour lui !

Tout à coup, il eut une sorte d'hallucination : quelqu'un se moquait de lui, quelqu'un dont il ne pouvait apercevoir le visage, mais qui venait de beaucoup s'amuser à ses dépens et qui riait, qui riait, qui riait !

TRADUIT DE L'ANGLAIS PAR PEGGY DAILLY

LE VASE BLEU

(The mystery of the blue jar)

Jack Harington regarda tristement son parcours de golf et, debout auprès de sa balle, mesura la distance tandis que son visage reflétait le dégoût. Il soupira, prit un club, décapita tour à tour une fleur de chicorée sauvage et une touffe d'herbe, puis attaqua vigoureusement la balle.

Il est pénible, quand on a vingt-quatre ans et pour ambition unique d'améliorer son classement au golf, d'être obligé de consacrer du temps et de l'attention au problème de la vie matérielle. Sur les sept jours de la semaine, Jack était enfermé pendant cinq jours et demi dans un bureau de la cité qui ressemblait à un mausolée. Le samedi après-midi et le dimanche étaient religieusement consacrés au véritable but de sa vie et, mû par un excès de zèle, il avait loué une chambre dans un petit hôtel proche du terrain de golf de Stourton Heath et se levait à six heures du matin afin de pouvoir s'entraîner pendant une heure, avant de prendre, à huit heures quarante-six, le train de Londres.

Le seul inconvénient du système résidait dans le fait qu'il paraissait absolument incapable d'actionner une balle à cette heure matinale.

Jack soupira, saisit vigoureusement son club et se répéta les mots magiques : « Le bras gauche en avant sans lever les yeux. » Il balança le bras puis s'arrêta pétrifié, tandis qu'un cri aigu déchirait le silence de cette matinée printanière :

— A l'assassin !... A l'assassin !...

La voix était féminine et s'interrompit dans un sanglot. Jack jeta son club et se précipita dans la direction d'où le cri était parti, à peu de distance, semblait-il. Ce côté du terrain de golf était fort désert et on n'y apercevait qu'une seule et pittoresque petite demeure. Jack y courut, fit le tour d'une pente couverte de bruyère et se trouva bientôt devant une barrière qui protégeait un jardin. Une jeune fille s'y dressait seule et, pendant un court instant, Jack crut qu'elle avait appelé au secours, mais il ne tarda pas à changer d'avis.

L'inconnue tenait à la main un petit panier plein de mauvaises herbes et venait manifestement de se redresser après avoir nettoyé une large bordure de pensées. Le jeune homme remarqua que ses yeux veloutés et doux ressemblaient aux fleurs dont elle s'occupait et aussi qu'elle fixait sur lui un regard à la fois vexé et surpris.

— Je vous prie de m'excuser, dit-il, n'avez-vous pas jeté un cri ?

— Moi ? Sûrement pas !

Elle parlait d'un air tellement étonné que Jack fut très penaud. L'inconnue avait une fort jolie voix, au timbre quelque peu étranger.

— Mais vous avez sûrement entendu appeler au secours, tout près d'ici ?

La jeune fille répliqua :

— Je n'ai rien entendu.

Jack demeura stupéfait, il lui paraissait incroyable qu'elle n'eût pas perçu le cri d'effroi et pourtant son calme était tel qu'il ne pouvait croire qu'elle mentait.

Aussi ajouta-t-il :

— La voix était toute proche...

— Que disait-elle ? demanda l'inconnue en regardant Jack d'un air soupçonneux.

— Au secours, à l'assassin.

— A l'assassin ? Quelqu'un s'est moqué de vous, monsieur. Qui aurait pu être tué ici ?

Jack regarda autour de lui avec la vague idée qu'il allait voir un cadavre sur le sentier. Il était absolument sûr d'avoir entendu un cri et il leva les yeux vers les fenêtres de la petite maison. Tout y paraissait calme et paisible.

— Voulez-vous fouiller notre maison ? demanda la jeune fille d'un ton sec.

Elle paraissait tellement sceptique que la gêne de Jack augmenta. Il se détourna et dit :

— Excusez-moi, la voix devait venir de plus haut, dans les bois. Puis, soulevant son chapeau, il s'éloigna. Ayant ensuite jeté un regard par-dessus son épaule il constata que la jeune fille avait repris son jardinage avec calme.

Il parcourut les bois pendant quelque temps mais sans rien y voir d'anormal. Pourtant il était de plus en plus certain d'avoir entendu crier. Il finit par renoncer aux recherches et se hâta de rentrer pour avaler son premier déjeuner et attraper au vol son train. Pourtant, une fois assis dans son compartiment il éprouva un remords : n'aurait-il pas dû aller rendre compte à la police ? L'incrédulité de la jeune fille avait été cause de son inertie, car il était évident qu'elle avait cru qu'il rêvait. Les policiers seraient sans doute du même avis. Etait-il vraiment sûr d'avoir entendu crier ?

Il n'en était plus aussi certain. Il pouvait avoir confondu un appel d'oiseau avec la voix d'une femme... Toutefois, il repoussa cette idée et se souvint d'avoir regardé sa montre juste avant d'avoir entendu crier. Il devait être sept heures vingt-cinq et ce détail pouvait être utile aux enquêteurs si l'on faisait des recherches.

Ce soir-là, en rentrant chez lui, il lut attentivement les journaux pour voir si aucun crime n'était signalé, il ne trouva rien et il fut à la fois soulagé et désappointé.

Le lendemain matin il pleuvait tellement que le plus ardent joueur de golf eût renoncé à manier ses clubs. Jack se leva à la dernière minute, déjeuna au galop, courut prendre le train et parcourut vivement les journaux qui n'annonçaient rien de tragique.

— C'est curieux, pensa le jeune homme, des gamins devaient jouer dans le bois.

Il sortit de bonne heure le lendemain et, en passant devant la petite maison, il aperçut la jeune fille qui arrachait des mauvaises herbes. Ayant commencé à jouer, il regarda sa montre et murmura :

— Juste sept heures vingt-cinq... Je me demande... La phrase s'arrêta dans sa gorge, car le cri qui l'avait tant effrayé retentit à nouveau :

— A l'assassin... au secours... C'était une voix de femme absolument affolée.

Jack revint sur ses pas en courant ; la fille aux pensées était debout devant la barrière. Elle semblait effrayée et Jack courut vers elle d'un air triomphant en criant :

— Vous avez entendu cette fois ?

Les yeux de l'inconnue étaient grands ouverts, mais elle recula, regarda la maison comme si elle voulait s'y réfugier, secoua la tête et répondit :

— Je n'ai rien entendu.

Jack eut l'impression qu'elle lui avait asséné un coup entre les deux yeux. Sa sincérité était tellement évidente qu'il ne pouvait admettre le moindre doute. Pourtant, il n'avait pas imaginé ces cris. Il entendit la jeune fille dire doucement, presque avec sympathie :

— Vous avez assisté à un bombardement ?

Il comprit le regard affolé, le recul. Elle supposait qu'il avait des visions. Puis, semblable à une douche glacée, il eut l'idée que cette jeune fille avait peut-être raison : avait-il des hallucinations ? Saisi d'effroi il se détourna et s'éloigna d'un pas mal assuré, sans répondre un mot.

La jeune inconnue le suivit des yeux, soupira, secoua la tête et se remit à son travail.

Jack tenta de se raisonner : « Si j'entends encore ce maudit bruit à sept heures vingt-cinq, pensa-t-il, je serai certain d'être le jouet d'une hallucination. Mais je ne l'entendrai pas... »

Il demeura nerveux toute la journée et se coucha de bonne heure, décidé à tenter l'expérience le lendemain matin.

Ainsi que cela se produit dans les cas semblables, Jack resta éveillé une partie de la nuit et ensuite sombra dans un lourd sommeil. Il était sept heures vingt quand il sortit de l'hôtel et se mit à courir vers le golf : il comprit qu'il ne pourrait arriver à l'endroit fatal avant sept heures vingt-cinq, mais estima que, s'il s'agissait d'une simple hallucination, il la percevrait n'importe où, aussi se mit-il à courir, les yeux fixés sur les aiguilles de sa montre.

Sept heures vingt cinq... L'écho d'un cri de femme lui parvint de très loin, il ne pouvait distinguer les mots, mais il fut convaincu que l'appel était le même et venait également des environs de la petite maison. Toutefois il fut rassuré et pensa qu'il pouvait s'agir d'une plaisanterie. Si invraisemblable que cela parût, la jardinière inconnue se moquait peut-être de lui. Il se redressa, prit un club dans son sac et se décida à jouer jusqu'à la maison. La jeune fille était dans le petit jardin comme d'habitude. Elle leva la tête et, quand Jack la salua, lui souhaita le bonjour timidement, il la trouva plus jolie que jamais.

— Belle journée, n'est-ce pas ? cria-t-il, en maudissant la banalité de sa phrase.

— Oui, très belle.

— Le temps doit être favorable au jardin ?

L'inconnue sourit, ce qui creusa une fossette dans sa joue.

— Hélas non, il faut de la pluie pour mes fleurs. Voyez, elles sont toutes fanées.

Jack obéit à l'invitation et s'approcha de la petite haie qui séparait le jardin du golf.

— Vos fleurs me paraissent en bon état, répondit-il gauchement tout en constatant que l'inconnue le regardait avec pitié.

— Oui, déclara-t-elle, le soleil est bon pour la santé et on peut toujours arroser les fleurs, mais il est encore meilleur pour les malades. Vous semblez beaucoup plus robuste, aujourd'hui, monsieur ?

Sa voix pleine de compassion agaça fortement Jack qui répliqua :

— Je me porte à merveille.

— Alors tout va bien, dit-elle, et son interlocuteur eut la certitude qu'elle n'en croyait rien.

Il donna encore quelques coups de golf et rentra en hâte pour déjeuner. Tout en mangeant il constata, et ce n'était pas la première fois, qu'un personnage, assis à une table voisine, le regardait avec attention. Il était d'âge moyen, avait un visage énergique, une barbiche noire et des yeux gris au regard perçant. Son attitude pleine d'assurance le désignait comme un homme occupant une situation en vue.

Jack savait qu'il se nommait Lavington et avait entendu dire que c'était un médecin réputé ; mais, comme il ne fréquentait guère le milieu médical, il n'en savait pas plus.

Toutefois, ce jour-là, il s'aperçut que son voisin l'observait avec grand intérêt et en éprouva un certain malaise. En raison de sa profession, cet homme avait-il découvert qu'il était malade ?

Soudain Jack se rendit compte qu'il pouvait s'en assurer.

Jusqu'alors il avait toujours été seul quand il entendait le cri. S'il avait un compagnon, trois hypothèses pouvaient se produire : la voix mystérieuse pouvait ne rien dire, les deux hommes pouvaient l'entendre, ou encore, lui, Jack, l'entendrait seul.

Ce soir-là, il se mit en devoir de mettre son plan à l'étude.

Il entama une conversation avec Lavington qui en parut enchanté. Il était clair que le jeune homme l'intéressait et il accepta sans hésiter l'offre d'une partie de golf le lendemain matin.

Ils partirent un peu avant sept heures. La journée était magnifique, calme et ensoleillée, pas trop chaude. Le médecin jouait bien, tandis que Jack accumulait les fautes car son esprit était entièrement absorbé par ce qui allait se produire. Il consultait sa montre à chaque instant. Ils atteignirent le septième trou, près duquel se trouvait la maison, vers sept heures vingt. Comme d'habitude, la jeune fille jardinait mais ne leva pas la tête quand les deux hommes s'approchèrent.

Les deux balles étaient sur leurs parcours, celle de Jack près du trou, celle du médecin un peu plus loin.

Lavington déclara :

— Il faut que j'essaie un bon coup. Il se pencha pour évaluer la distance tandis que Jack, immobile, avait les yeux fixés sur sa montre, il était exactement sept heures vingt-cinq. La balle courut sur l'herbe, s'arrêta au bord du trou, hésita puis tomba.

— Voilà un coup adroit, dit Jack d'une voix rauque tout en soulevant son poignet d'un air soulagé. Il ne s'était rien produit, le charme devait être rompu.

— Si vous voulez bien attendre une minute, dit le jeune homme, je voudrais bourrer ma pipe.

Les deux joueurs s'arrêtèrent et Jack remplit sa pipe d'une main qu'il ne pouvait empêcher de trembler. Un énorme poids semblait ôté de son esprit, il dit avec soulagement :

— Quelle belle journée !

Puis, au moment où Lavington levait son club, une voix de femme à l'agonie cria :

— A l'assassin ! Au secours !

Jack laissa échapper sa pipe et regarda dans la direction du cri, puis il se tourna vers son compagnon. Celui-ci, la main en visière devant les yeux, déclara :

— Un peu court, je crois.

Il n'avait rien entendu.

Un vertige s'empara de Jack qui fit un ou deux pas en titubant. Quand il reprit connaissance il était allongé sur l'herbe et Lavington se penchait sur lui en disant :

— Attention, ne bougez pas.

— Que m'est-il arrivé ?

— Vous avez perdu connaissance, jeune homme... ou presque.

— Mon Dieu, gémit le pauvre garçon.

— Qu'avez-vous, des ennuis ?

— Je vais tout vous expliquer dans un instant, d'abord, je voudrais vous poser une question.

Le médecin alluma sa pipe, s'assit sur le talus et répondit avec calme :

— Tant que vous voudrez.

— Vous m'avez étudié depuis un ou deux jours. Pourquoi ?

Lavington cligna de l'œil.

— Voilà une question gênante, il est toujours permis de regarder ses semblables.

— Ne vous dérobez pas, je parle sérieusement et j'ai une raison impérieuse de vous interroger.

Le médecin prit un air professionnel.

— Je vais vous répondre en toute franchise. J'ai décelé en vous tous les signes d'une intense préoccupation et je me suis demandé d'où elle venait.

— Je puis vous renseigner, dit Jack tristement, je deviens fou !

Il s'interrompit, mais, comme cette déclaration ne paraissait pas susciter l'intérêt et l'effroi auquel il s'attendait, il répéta :

— Je vous dis que je deviens fou...

— Très curieux, murmura Lavington, vraiment très curieux...

Jack était indigné et répliqua :

— C'est tout l'effet que cela vous produit ? Les médecins n'ont pas de cœur.

— Voyons, voyons, mon jeune ami, vous parlez sans réfléchir. D'abord, bien que j'aie passé mon doctorat, je ne pratique pas et je ne soigne pas le corps.

Jack le dévisagea :

— Vous soignez le cerveau ?

— Jusqu'à un certain point, mais plutôt l'âme...

— Oh !

— Je vois que vous êtes déçu et, pourtant, il nous faut bien qualifier ainsi le principe qui existe en dehors du corps, lequel est son habitat terrestre. L'âme n'est pas seulement l'expression religieuse inventée par le clergé. Appelons-la esprit ou subsconscient ou autrement si vous le préférez. Vous êtes froissé de mes paroles, tout à l'heure pourtant, je vous assure que j'ai trouvé bizarre qu'un garçon aussi bien constitué et normal que vous eût l'impression de devenir fou.

— C'est pourtant exact.

— Excusez-moi, mais je n'en crois rien.

— J'ai des hallucinations.

— Après le dîner ?

— Non, le matin.

— Ce n'est pas possible, affirma le médecin en rallumant sa pipe éteinte.

— Je vous affirme que j'entends des bruits que nul autre ne perçoit.

— Un homme sur mille voit des lunes sur Jupiter et ce n'est pas parce que les autres ne les voient pas qu'il faut douter de leur existence et traiter le premier de fou.

— Les lunes de Jupiter ont été scientifiquement reconnues.

— Il est fort possible que les visions actuelles soient scientifiquement admises dans l'avenir.

Jack ne pouvait s'empêcher d'être impressionné par le calme de Lavington et il se sentit infiniment réconforté. Le médecin le dévisagea pendant un instant, puis déclara :

— Voilà qui est mieux. L'ennui, avec vous autres jeunes, vient de ce que vous êtes tellement convaincus de posséder la science infuse que vous êtes furieux quand quelque chose se produit qui ébranle vos opinions. Dites-moi ce qui vous fait croire que vous perdez l'esprit, puis nous déciderons s'il faut vous mettre en cellule.

Jack décrivit tout ce qui lui était arrivé, aussi sincèrement que possible et ajouta :

— Je ne puis comprendre pourquoi, ce matin, la chose ne s'est produite qu'à sept heures trente, donc, cinq minutes trop tard.

Lavington réfléchit un instant puis demanda :

— Quelle heure est-il à votre montre ?

— Huit heures moins le quart, répondit Jack après avoir vérifié.

— C'est donc fort simple : la mienne annonce huit heures moins vingt. La vôtre avance donc de cinq minutes, ce qui est capital.

— Pourquoi ?

— Voici une explication évidente : le premier jour vous avez vraiment entendu un cri qui pouvait ou non être poussé par un plaisantin. Le lendemain vous vous êtes figuré que vous l'entendriez à la même heure...

— Je suis sûr que non.

— Vous ne l'avez pas pensé consciemment, mais le subconscient nous joue parfois de drôles de tours. D'ailleurs, cette explication ne vaut rien, car, s'il s'agissait d'une suggestion, vous eussiez entendu le cri à sept heures vingt-cinq d'après votre montre, mais pas au moment où vous supposiez que l'heure était passée.

— Et alors ?

— Voyons, c'est bien simple, cet appel au secours occupe un endroit et un moment bien définis dans l'espace. L'espace est situé près de cette maison et le moment se place à sept heures vingt-cinq.

— Bien, mais pourquoi suis-je seul à les entendre ? Je ne crois ni aux fantômes ni aux esprits frappeurs. Pourquoi est-ce moi qui perçois ces bruits ?

— Nous ne pouvons le dire à présent ; il est d'ailleurs étrange que les meilleurs médiums soient choisis parmi les pires sceptiques. Ce ne sont pas les personnes qui s'intéressent aux phénomènes occultes qui les enregistrent. Certains êtres humains voient et entendent ce que d'autres négligent. Nous ignorons pourquoi et, neuf fois sur dix, ils ne le souhaitent pas et croient avoir eu des hallucinations comme vous. L'électricité aussi a de bons et de mauvais conducteurs et, pendant fort longtemps, nous avons ignoré pourquoi et nous nous sommes contentés d'accepter les faits. Maintenant nous en connaissons la raison et un jour, sans doute, nous comprendrons pourquoi vous entendez ce que cette jeune fille et moi ne percevons pas. Voyez-vous, tout est actionné par une loi naturelle et le surnaturel n'existe pas.

— Que dois-je faire ? interrogea Jack.

Lavington se mit à rire et répondit :

— Vous ne manquez pas d'esprit pratique. Pour l'instant déjeunez bien et partez pour Londres sans vous tourmenter au sujet de ce que vous ne comprenez pas. De mon côté je vais me promener et essayer de me renseigner au sujet de cette petite maison qui est derrière nous. Je parie que le mystère y réside.

Jack se leva et répondit :

— D'accord, monsieur, mais je suis sûr...

— De quoi ?

Le jeune homme rougit et murmura :

— Que la jeune fille est normale.

Lavington sourit et répondit :

— Vous ne m'avez pas dit qu'elle est jolie ? Prenez courage car je crois que le mystère existait avant elle.

Ce soir-là, Jack était bourrelé de curiosité en rentrant. Il mettait désormais tous ses espoirs en Lavington qui avait traité la question avec tant de calme que le jeune homme était impressionné.

Quand il descendit pour dîner, il trouva son nouvel ami dans le vestibule et Lavington lui proposa de dîner à la même table.

— Avez-vous des nouvelles, docteur ? interrogea vivement Jack ?

— J'ai appris l'histoire de la villa des Bruyères. Au début, elle était habitée par un vieil horticulteur et sa femme. Un entrepreneur en prit possession quand le mari mourut et la vieille femme se retira chez sa fille. Le nouveau propriétaire modernisa la bicoque et la vendit à un citadin qui vint y passer les fins de semaines, puis la céda à un ménage appelé Turner. D'après ce que j'ai entendu dire, ces gens étaient assez originaux. Le mari était anglais, la femme, très jolie et d'allure exotique, était à moitié russe. Ils vivaient très retirés, ne voyaient personne et ne sortaient jamais de leur jardin. La rumeur publique déclarait qu'ils avaient peur... mais on ne peut guère ajouter foi à des propos de ce genre.

« Puis, un matin, de très bonne heure, ils disparurent et ne revinrent jamais. L'agent de location reçut une lettre de Turner, datée de Londres et lui enjoignant de vendre la maison le plus vite possible, ainsi que le mobilier. L'acquéreur, un certain Mauleverer n'y habita que quinze jours, puis la mit en location meublée. Un professeur français, malade des poumons, et sa fille s'y sont installés, il y a juste dix jours.

Jack réfléchit puis déclara :

— Cela ne nous avance guère, ne trouvez-vous pas ?

— J'aimerais en savoir plus long au sujet des Turner, dit Lavington avec calme. Ainsi que je vous l'ai dit, ils partirent de grand matin et nul n'assista à leur départ. Turner a été revu depuis, mais pas sa femme...

Jack pâlit :

— Serait-il possible ?... Croyez-vous ?

— Ne vous agitez pas, jeune homme. L'influence de quelqu'un qui va mourir, surtout s'il s'agit de mort violente est très forte. Les alentours peuvent s'imprégner de cette influence et la transmettre à quelqu'un en état de réceptivité..., vous par exemple...

— Pourquoi moi ? murmura Jack, au lieu de quelqu'un qui serait capable d'agir ?

— Vous croyez qu'il s'agit d'une intelligence raisonnée, au lieu d'une force aveugle ? Je ne crois pas aux esprits qui viennent sur terre dans un but déterminé. Mais ce que j'ai constaté bien des fois et que je ne puis prendre pour de simples coïncidences c'est qu'il existe des forces obscures qui travaillent dans le même sens.

Lavington se tut comme s'il voulait chasser une obsession, se tourna vers Jack, et sourit.

Le jeune homme acquiesça volontiers sans toutefois, parvenir à chasser l'idée de son esprit. Au cours des jours suivants il fit une petite enquête sans obtenir davantage que le médecin et il renonça à jouer au golf le matin.

Un nouvel anneau de la chaîne lui fut apporté d'une manière inattendue : un soir, en rentrant, Jack apprit qu'une jeune fille l'attendait. A sa grande surprise il reconnut « la belle aux pensées », comme il l'appelait. Elle paraissait très émue et intimidée.

— Veuillez m'excuser, monsieur, de venir vous parler ainsi, mais je désire vous apprendre quelque chose... Je...

Elle regardait autour d'elle d'un air inquiet.

— Entrez ici, répondit Jack vivement en ouvrant la porte du « salon des dames » toujours désert à cette heure-là. Veuillez vous asseoir, mademoiselle... ?

— Marchaud... Alice Marchaud...

Elle s'assit. Vêtue d'un costume vert foncé qui rehaussait le charme de son visage, elle fit battre le cœur du jeune homme. Il ajouta :

— Dites-moi ce qui vous inquiète.

— Voici. Nous sommes ici depuis peu de temps et, dès le début nous avons entendu dire que notre charmante petite maison était hantée. Aucune servante ne veut y rester, ce qui n'a guère d'importance car je sais faire le ménage et la cuisine.

— Quel ange, pensa Jack. Elle est unique. Mais il parvint à garder l'air attentif.

— Je croyais que ces histoires de revenant étaient ridicules mais, depuis quatre jours, monsieur, j'ai fait le même rêve. Une femme très belle, grande et blonde, est auprès de moi. Elle tient dans ses mains un vase de porcelaine bleue et paraît au désespoir. Elle me tend le vase comme si elle me suppliait de le prendre. Mais je ne comprends pas pourquoi et, malheureusement, elle ne peut parler. Ce rêve a été le même pendant les deux premières nuits ; puis, avant-hier soir, il a été plus explicite. Elle s'est évaporée, tenant toujours le vase et, soudain, je l'ai entendu crier : « A l'assassin ! Au secours ! ». Donc les mots que vous m'avez répétés l'autre jour. Je me suis réveillée en sursaut mais j'ai cru que j'avais eu un cauchemar. Seulement, la nuit dernière, j'ai eu le même rêve. De quoi s'agit-il, monsieur ? Vous l'avez entendu aussi. Que devons-nous faire ?

Le visage de la jeune fille était terrifié ; ses petites mains se fermaient convulsivement et elle regardait Jack d'un air suppliant, il afficha un calme factice.

— Ne vous inquiétez pas, mademoiselle. Vous devriez, si vous y consentez, exposer votre rêve à un de mes amis, le docteur Lavington qui est en séjour ici.

Alice accepta et Jack alla chercher Lavington. Le médecin dévisagea la jeune fille pendant que Harington exposait la question. Puis il se fit répéter son rêve et déclara :

— C'est fort curieux, en avez-vous parlé à votre père ?

Alice secoua négativement la tête :

— Non, car je n'ai pas voulu l'inquiéter. Il est très malade et je lui cache tout ce qui pourrait le troubler.

Lavington répondit avec bonté :

— Je comprends et je suis content que vous soyez venue me consulter. M. Harington a eu une vision assez semblable à la vôtre et je crois que désormais nous sommes sur une piste. Vous n'avez aucun détail à me communiquer ?

Alice sursauta :

— Oh, si, comme je suis sotte. Regardez, monsieur, ce que j'ai trouvé au fond d'un placard, cette feuille avait glissé derrière une planche.

Elle tendit une feuille de papier à dessin assez sale. On y avait tracé, à l'aquarelle, une esquisse, sans doute ressemblante, qui représentait une grande femme blonde, au type étranger, elle était debout devant une table où un vase de porcelaine bleue était posé.

— Je n'ai trouvé cette feuille que ce matin, déclara la jeune fille, et ce dessin représente bien la femme que j'ai vue dans mes rêves. De plus, le vase est identique.

— C'est extraordinaire, dit Lavington. La clef du mystère se trouve évidemment dans le vase. Il me paraît fait d'une ancienne porcelaine chinoise et avoir un dessin en taille douce.

Jack affirma :

— C'est bien une porcelaine chinoise. J'en ai vu un pareil dans la collection de mon oncle, qui est grand expert en objets d'art de ce genre.

Lavington garda le silence un instant, puis leva vivement la tête et interrogea :

— Depuis combien de temps votre oncle a-t-il ce vase, Harington ?

— Je ne sais vraiment pas.

— Réfléchissez. L'a-t-il acheté récemment ?

— Je ne sais trop... Oui, peut-être, en y réfléchissant... Les porcelaines ne m'intéressent pas, mais je me souviens qu'il m'a montré ses « récentes acquisitions » et que ce vase en faisait partie.

— Y a-t-il moins de deux ans ? Les Turner ont quitté le cottage juste à ce moment-là.

— Je crois en effet que la date est exacte.

— Votre oncle est-il un habitué des ventes aux enchères ?

— Certes oui.

— Donc, il n'est pas impossible qu'il ait acheté ce vase à la vente du mobilier Turner. C'est une étrange coïncidence, ou plutôt, ce que j'appelle un acte de justice. Il nous faut, Harington, savoir le plus vite possible où votre oncle a acheté cette porcelaine.

Le visage de Jack se rembrunit :

— Je crains que ce soit impossible, car il est sur le continent et je ne saurais même pas où lui écrire.

— Combien de temps durera son absence ?

— Trois semaines ou un mois au moins.

Il y eut un silence et la jeune fille regarda tour à tour les deux hommes avec anxiété.

— Ne pouvons-nous rien faire ? interrogea-t-elle d'une voix timide.

— Si, répondit Lavington d'un ton assez excité, ce sera assez peu courant, mais je crois que cela peut réussir. Harington, il faut vous emparer de ce vase, l'apporter ici et, si mademoiselle le permet, nous passerons une nuit au cottage en apportant l'objet.

Jack éprouva quelque inquiétude et demanda :

— Qu'arrivera-t-il à votre avis ?

— Je n'en ai pas la moindre idée, mais je crois que le mystère sera élucidé et que le fantôme sera vaincu. Il est possible que le vase ait un double fond dans lequel un objet est caché. S'il ne se produit rien, nous devrons nous montrer ingénieux.

Alice battit des mains et s'écria :

— Voilà une idée merveilleuse.

Ses yeux brillaient d'enthousiasme mais Jack était beaucoup moins satisfait. En réalité, il avait peur. Toutefois, pour rien au monde, il ne l'eût avoué devant la jeune fille. Le médecin paraissait croire que sa proposition était la plus naturelle du monde.

— Quand pourrez-vous apporter le vase ? demanda Alice en se tournant vers Jack.

— Demain, répondit-il sans enthousiasme.

Il lui fallait s'exécuter, mais le souvenir de l'appel qui le hantait chaque nuit devait pouvoir être dominé s'il voulait aboutir. Le lendemain soir il se rendit chez son oncle et prit le vase. En le revoyant il fut plus convaincu que jamais qu'il avait servi de modèle à l'aquarelle. Toutefois en l'examinant de très près il n'y découvrit aucune cachette.

Il était onze heures quand Lavington et lui arrivèrent « Aux Bruyères ». Alice les attendait et leur ouvrit sans bruit avant qu'ils aient pu sonner.

— Entrez, murmura-t-elle. Mon père dort là-haut et il ne faut pas l'éveiller. Je vous ai préparé du café ici. Elle les conduisit dans un petit boudoir où brûlait une lampe à alcool et leur offrit un excellent café.

Jack ôta l'emballage du vase chinois et Alice sursauta :

— Oui, oui, s'écria-t-elle, c'est bien lui. Je le reconnaîtrais partout.

Pendant ce temps, Lavington se livrait à divers préparatifs :

il ôta tous les bibelots qui occupaient une petite table et les posa au milieu de la pièce. Puis, il approcha trois chaises, prit le vase bleu des mains de Jack et l'installa au centre de la table.

— Nous sommes prêts, dit-il. Eteignez les lumières et asseyons-nous autour de la table dans l'obscurité.

Quand ses deux compagnons eurent obéi, il reprit :

— Ne pensez à rien, ou à n'importe quoi, mais ne vous forcez pas. Il est possible que l'un de nous ait des dons médiumniques. Dans l'affirmative il entrera en transe. Soyez tranquille, vous n'avez rien à craindre. Chassez la peur de vos cœurs et laissez-vous glisser... glisser...

Sa voix s'éteignit et le silence tomba. Puis il devint de plus en plus chargé de significations... Mais Lavington avait beau dire : « Bannissez la crainte », Jack était pris de panique et convaincu que la jeune fille éprouvait la même émotion.

Elle dit soudain :

— Il va se produire quelque chose de terrible, je le sens...

— Bannissez la crainte, répondit Lavington, et ne combattez pas cette influence...

L'obscurité parut devenir plus profonde et le silence plus saisissant tandis que la menace approchait... Jack étouffait, le mauvais esprit était là... Puis la menace s'éloigna et il se sentit glisser dans l'eau... ses paupières se fermèrent, la paix et l'obscurité l'envahirent...

Jack remua un peu, sa tête lui semblait lourde comme du plomb. Où était-il ? Du soleil, des oiseaux. Etendu à terre il regardait le ciel...

Soudain la mémoire lui revint, la séance... la petite pièce. Alice et le médecin... Que s'était-il passé ?

Il s'assit, la tête bourdonnante, et regarda autour de lui... Il était couché dans un petit taillis non loin du cottage et il était seul. Il regarda sa montre et, à sa profonde surprise, constata qu'il était midi et demi.

Jack fit un effort pour se lever et courut aussi vite que possible vers la maison. Sans doute ses habitants s'étaient-ils effrayés de sa syncope et l'avaient-ils transporté au grand air. Arrivé au cottage, il frappa fortement à la porte, mais on ne répondit pas et il ne constata aucun signe de vie aux alentours. Etait-on allé chercher du secours ? Soudain, Harington fut envahi par la frayeur... Que s'était-il passé la veille au soir ? Il se dirigea vers son hôtel aussi rapidement que possible et s'apprêtait à demander des explications au bureau quand il reçut dans les côtes un coup de poing qui lui fit presque perdre l'équilibre. Il se retourna indigné et aperçut un vieux monsieur à cheveux blancs qui riait gaiement.

— Tu ne m'attendais pas, mon garçon ?

— Comment c'est vous, oncle George ? Je vous croyais bien loin d'ici, quelque part en Italie...

— Je n'y étais pas. J'ai débarqué à Douvres hier soir, j'ai décidé de rentrer à Londres en auto et de m'arrêter ici pour te voir. Et je ne t'ai pas trouvé, c'est du joli.

Jack s'écria :

— Mon oncle, j'ai la plus extraordinaire histoire à vous raconter et je crains que vous n'y ajoutiez pas foi.

— C'est fort possible, répondit le vieillard en riant, je t'écoute.

— Il faut d'abord que je mange car je suis affamé.

Jack conduisit son oncle dans la salle à manger et, tout en engloutissant un copieux repas, raconta son histoire qu'il acheva par ces mots « Dieu seul sait ce qu'ils sont devenus... »

L'oncle paraissait près de l'apoplexie quand il balbutia :

— Le vase bleu... qu'est-il devenu ?

Jack le dévisagea mais commença à comprendre quand le vieillard le submergea sous un torrent d'imprécations :

— Un Ming... unique au monde. La perle de ma collection... valant au bas mot dix mille livres sterling... Hoggenheimer, un millionnaire américain, me les offrait... Seule pièce semblable au monde... Damnation, qu'as-tu fait de mon vase bleu ?

Jack bondit de la pièce. Il lui fallait trouver Lavington. L'employée du bureau le dévisagea froidement :

— Le docteur Lavington est parti hier soir en auto. Il a laissé un mot pour vous.

Jack ouvrit le pli :

« *Mon cher jeune ami,*

« *L'ère du surnaturel est-elle révolue ? Pas tout à fait, surtout quand elle est traduite en langage scientifique moderne.*

« *Meilleurs souvenirs d'Alice, et de son père infirme et de moi-même. Nous avons douze heures d'avance ce qui doit nous suffire.*

« Bien à vous.

« Ambroise Lavington
« Médecin de l'âme

TRADUIT DE L'ANGLAIS PAR **CLAIRE DURIVAUX**

LE MORT AVAIT LES DENTS BLANCHES

(Four and Twenty blackbirds)

Hercule Poirot dînait avec son ami Henry Bonnington au « Gallant Endeavour », King's Road, à Chelsea.

Mr. Bonnington aimait cet endroit. Il en goûtait l'atmosphère et la cuisine « simple » et « bien anglaise ». Il se plaisait à faire remarquer aux gens qui dînaient avec lui la place qu'occupait Augustus John et attirer leur attention, dans le livre d'or, sur le nom du fameux artiste.

Mr. Bonnington lui-même était rien moins qu'artiste... mais il se parait volontiers des activités des autres dans ce domaine.

Molly, l'aimable serveuse, salua Mr. Bonnington comme un vieil ami. Elle se faisait un point d'honneur de se souvenir des goûts de ses clients.

— Bonsoir, Messieurs, dit-elle en aidant les deux hommes à s'installer. Vous avez de la chance, aujourd'hui de la dinde aux marrons, votre plat favori. Et nous avons reçu un fromage de Stilton dont vous me direz des nouvelles. Que prendrez-vous pour commencer, du potage ou du poisson ?

Bonnington posa la question.

— Pas de vos petits plats français, surtout, dit-il à Poirot qui étudiait le menu. De la bonne cuisine anglaise !

Hercule Poirot agita la main.

— Mon ami, dit-il, je m'en rapporte complètement à vous.

— Ah ! Hum...

Le sourcil froncé, Bonnington fit son choix avec soin. Puis, il se renversa en arrière avec un soupir et déplia sa serviette.

— Une brave fille, dit-il comme Molly s'éloignait. Elle a été une beauté dans le temps, elle posait comme modèle. Elle s'y connaît en cuisine aussi et c'est beaucoup plus important. Les femmes sont un peu détraquées de ce côté-là. La plupart, pour un peu qu'elles sortent avec un homme qui leur plaît, ne font même pas attention à ce qu'elles mangent. Elles commandent la première chose venue.

Hercule Poirot secoua la tête.

— C'est terrible.

— Dieu merci, les hommes sont différents ! remarqua Bonnington avec complaisance.

— Toujours ? demanda Hercule Poirot, une petite étincelle dans l'œil.

— Non, peut-être, quand ils sont très jeunes, lui accorda son ami. Des chiots. Ils sont tous les mêmes aujourd'hui, pas de cervelle, pas d'endurance. Je n'aime pas les jeunes gens et, ajouta-t-il impartial, ils me le rendent. Peut-être ont-ils raison ? Mais, à les entendre, on croirait qu'un homme n'a plus le droit de vivre, passé soixante ans ! A leur façon d'agir on en vient à se demander s'ils n'aident pas plus ou moins leurs vieux parents à passer dans l'autre monde.

— C'est fort possible, admit Poirot.

— Jolie mentalité ! Vos enquêtes policières détruisent tout idéal en vous.

Hercule Poirot sourit.

— Tout de même, dit-il, il serait intéressant de dresser un tableau des morts accidentelles au-dessus de soixante ans. Je vous assure que cela vous donnerait à réfléchir.

— L'ennui avec vous est que vous allez au-devant du crime au lieu d'attendre qu'il vienne à vous.

— Excusez-moi, dit Poirot, je me laisse entraîner à parler boutique. Racontez-moi un peu comment vont vos affaires. Vos avis sur le monde actuel.

— La pagaille ! Et des discours pour cacher la pagaille ! Comme une sauce très relevée sur un poisson à la fraîcheur douteuse. Donnez-moi un honnête filet de sole, sans rien dessus !

Molly lui apportait au même instant le plat en question et Bonnington eut un grognement approbateur.

— Vous connaissez mes goûts, ma petite, dit-il.

— C'est normal, vous venez ici assez souvent, Monsieur.

— Les gens mangent-ils donc toujours la même chose ? demanda Poirot. Ne changent-ils pas parfois ?

— Pas les messieurs. Les dames aiment la variété, les hommes s'en tiennent à leurs habitudes.

— Que vous disais-je, dit Bonnington. Les femmes sont déséquilibrées quand il s'agit de nourriture !

Il jeta un coup d'œil autour de lui.

— Regardez ce vieux type barbu, dans le coin là-bas, Molly vous dira qu'il vient tous les mardis et jeudis soirs depuis près de dix ans. Il fait presque partie du mobilier. Mais personne ne sait son nom, son adresse ou sa profession. C'est amusant, quand on y pense, n'est-ce pas ?

Molly s'approchait avec la dinde. Il se tourna vers elle.

— Vous avez toujours, je le vois, la clientèle du vieux.

— Oui, Monsieur. Le mardi et le jeudi. Mais, la semaine dernière, il est venu le lundi. Ça m'a toute bousculée. J'ai cru que c'était mardi ! Mais il est revenu le lendemain, il avait fait une sorte d'extra le lundi.

— Changement d'habitudes, intéressant, murmura Poirot. Et pourquoi ?

— Eh bien, Monsieur, j'ai l'impression qu'il avait des ennuis.

— Qui vous fait dire cela ? Sa façon d'être ?

— Non, pas exactement. Il était très calme, comme d'habitude. Il ne dit jamais autre chose que « bonsoir » en arrivant et en repartant. Non. C'était sa commande.

— Sa commande ?

— Ces messieurs vont rire — Molly rougit — mais, quand on a servi un client depuis dix ans, on finit par savoir ce qu'il aime et ce qui lui déplaît. Lui, il n'a jamais pu supporter le pudding à la graisse de rognon ni les mûres, et je ne l'ai jamais vu demander de la soupe épaisse. Eh bien, lundi, il a commandé de la soupe à la tomate, du beefsteak, du pudding aux rognons et de la tarte aux mûres ! On aurait dit qu'il ne savait même pas ce qu'il demandait.

— Je trouve cela de plus en plus intéressant, déclara Poirot.

Molly lui adressa un regard reconnaissant et s'éloigna.

— Alors, Poirot, dit Bonnington avec un gloussement, quelles sont vos déductions ?

— Je préfère vous entendre d'abord.

— Que je fasse mon petit Watson ? Soit : le vieux a été voir un médecin qui a changé son régime.

— Un menu pareil ! Impossible pour un médecin.

— Un médecin ferait n'importe quoi, mon vieux !

— Vous ne voyez pas d'autre explication ?

— Sérieusement, je n'en vois qu'une. Il était sous l'emprise d'une émotion violente. Il était tellement troublé qu'il n'a prêté aucune attention à ce qu'il a commandé et mangé. Maintenant vous allez me dire ce qui se passait dans son crâne. Peut-être préparait-il un meurtre ?

Il rit à cette idée, mais Poirot ne l'imita pas.

Il semblait même très préoccupé.

Hercule Poirot et Bonnington se revirent, environ trois semaines plus tard, dans le métro.

Ils s'adressèrent un signe de tête, bousculés par la foule. La voiture se vida à Picadilly Circus et ils purent s'asseoir.

— Ça va mieux, déclara Bonnington. Quelle bande d'égoïstes ! Il n'y en a pas un qui se reculerait pour vous faire de la place !

Hercule Poirot haussa les épaules.

— Que voulez-vous ? La vie est tellement incertaine.

— C'est cela. Ici aujourd'hui, parti demain, dit Bonnington funèbre. A propos, vous souvenez-vous de cet original dont nous avons parlé au Gallant Endeavour ? Cela ne m'étonnerait pas qu'il soit en route pour un monde meilleur. Cela fait une semaine qu'on ne l'a pas vu. Molly est bouleversée.

Hercule Poirot se redressa, un éclair dans ses yeux verts.

— Vraiment ? dit-il.

— Vous rappelez-vous, continua son ami, j'avais émis la supposition qu'un médecin l'avait soumis à un régime ? Cette idée de régime était ridicule, mais s'il avait vraiment consulté un médecin et que les révélations de celui-ci au sujet de sa santé lui aient causé un choc, cela expliquerait sa distraction au cours du repas. En tout cas, la secousse qu'il a reçue a hâté son départ de ce bas monde. Les médecins devraient prendre des précautions pour parler à leurs malades.

— Ils le font généralement, dit Poirot.

— Voilà ma station ! Au revoir ! Quand je pense que nous ignorerons toujours qui était ce vieux type ! Drôle de pays !

Il se hâta vers la sortie.

Les sourcils froncés, Hercule Poirot ne semblait rien trouver de drôle aux choses qui l'entouraient.

Rentré chez lui, il donna quelques instructions à George, son fidèle valet.

Hercule Poirot suivait du doigt une liste de noms : ceux relatifs aux décès d'une certaine région.

Il s'arrêta soudain.

— Henry Gascoigne, soixante-neuf ans. Je peux commencer par lui.

Un peu plus tard dans la même journée, le détective était assis dans le salon de consultation du docteur Mac Andrew, dans King's Road. Le médecin, un Ecossais, roux, de haute taille, avait un visage intelligent.

— Gascoigne ? dit-il. Oui, c'est exact. Un vieil excentrique. Il habitait seul dans une de ces bâtisses sans âge que l'on fait abattre pour construire des immeubles modernes. Je ne le soignais pas, mais c'est moi que l'on a appelé et je savais qui il était. C'est le laitier qui a flairé quelque chose. Les bouteilles de lait commençaient à s'empiler à l'extérieur.

« A la fin, les voisins ont prévenu la police. On a ouvert la porte et on l'a trouvé. Il avait piqué une tête dans l'escalier et s'était cassé le cou. Il portait une vieille robe de chambre avec une ceinture interminable. Il a dû se prendre les pieds dedans.

— Je vois, dit Hercule Poirot. Un simple accident.

— C'est cela.

— Avait-il des parents ?

— Un neveu. Il venait voir son oncle une fois par mois environ. Il s'appelle George Lorrimer. Il est médecin lui aussi. Il habite Wimbledon.

— La mort du vieux l'a-t-elle ému ?

— Je ne saurais vous le dire. Il l'aimait bien, mais il le connaissait peu.

— Depuis combien de temps Mr. Gascoigne était-il mort lorsque vous l'avez vu ?

— Pas moins de quarante-huit heures et pas plus de soixante-douze. On l'a trouvé le six au matin, mais il avait une lettre dans la poche de sa robe de chambre écrite le trois, postée à Wimbledon dans l'après-midi du même jour et délivrée vers 21 h 20. Cela fait remonter la mort au trois après neuf heures vingt. Cela concorde avec le contenu de l'estomac et l'état de la digestion. Il avait absorbé un repas deux heures environ avant de mourir. Je l'ai examiné le six au matin. Son état était celui d'un homme mort depuis soixante heures.

— Tout cela me paraît très précis. Quand l'a-t-on vu en vie pour la dernière fois ?

— Le soir du trois, King's Road, vers sept heures. C'était un mardi ; il avait dîné au Gallant Endeavour, à sept heures trente. Il paraît qu'il dînait au même endroit tous les mardis. C'était un artiste, à sa façon. Fort mauvais.

— En dehors de ce neveu, il n'avait aucun parent ?

— Un frère jumeau. L'histoire est assez curieuse. Ils ne s'étaient pas vus depuis des années. L'autre frère, Anthony Gascoigne, aurait, paraît-il, épousé une femme très riche et abandonné l'art. Ils se seraient querellés à ce sujet. Ils ne se sont jamais revus.

« Mais, chose curieuse, ils sont morts le même jour. L'autre jumeau s'est éteint à trois heures dans l'après-midi du trois. J'ai déjà entendu une histoire de jumeaux mourant en même temps, à l'opposé du globe. Une simple coïncidence, sans doute, mais le fait demeure.

— La femme de l'autre frère vit-elle encore ?

— Non. Elle est morte depuis des années.

— Où habitait Anthony Gascoigne ?

— Il avait une maison à Kingston Hill. D'après le docteur Lorrimer il vivait en reclus.

Hercule Poirot hocha la tête, pensif.

L'Écossais le regarda avec attention.

— A quoi pensez-vous, monsieur Poirot ? demanda-t-il brusquement. J'ai répondu à vos questions, à la seule vue de vos lettres de créance, c'était mon devoir, mais je ne vois pas où vous voulez en venir.

— Un simple cas de mort accidentelle, dit doucement Poirot. C'est bien votre avis. Pour moi, c'est une simple poussée.

Le docteur Mac Andrew parut très surpris.

— En d'autres termes, un meurtre ! Avez-vous une base pour étayer cette affirmation ?

— Non, c'est une supposition.

— Mais il doit y avoir quelque chose, insista l'autre.

Poirot ne répondit pas et Mac Andrew poursuivit :

— Si vous soupçonnez le neveu, j'aime autant vous dire que vous faites fausse route. Lorrimer a joué au bridge à Wimbledon de huit heures trente à minuit.

— Et la police l'a vérifié, murmura Poirot.

— Vous savez quelque chose contre cet homme ? demanda le médecin.

— J'ignorais son existence jusqu'au moment où vous m'en avez parlé.

— Alors, vous soupçonnez quelqu'un d'autre ?

— Non, non. Ce n'est pas cela du tout. Nous sommes en face d'un exemple des habitudes routinières de l'animal humain. C'est fort important. En ce qui concerne feu Mr. Gascoigne, quelque chose cloche, voyez-vous.

— Je ne comprends pas.

— Il y a beaucoup trop de sauce sur le poisson pas frais, murmura Poirot.

— Pardon ?

Hercule Poirot sourit.

— Vous n'allez pas tarder à me prendre pour un fou, docteur. Mais je n'ai aucun dérèglement mental. Je ne suis qu'un homme aimant l'ordre et la méthode. Un événement illogique me contrarie toujours. Vous me pardonnerez, j'espère, docteur, l'ennui que je vous ai causé.

Il se leva et le médecin l'imita.

— Honnêtement, dit Mac Andrew, je ne vois rien de suspect au sujet de la mort de Henry Gascoigne. Pour moi, il est tombé ; pour vous on l'a poussé. Tout cela est en l'air.

Hercule Poirot soupira.

— Oui, dit-il. C'est du travail bien fait.

— Vous persistez à penser... ?

Le petit homme écarta les mains.

— Je suis obstiné. J'ai une petite idée, sans rien pour l'étayer ! Au fait, Anthony Gascoigne avait-il de fausses dents ?

— Non. Les siennes étaient en excellent état. A son âge, cela peut surprendre.

— Il les soignait bien, elles étaient blanches et bien brossées ?

— Oui. Je les ai remarquées. Les dents ont tendance à jaunir chez un vieillard. Les siennes étaient très belles.

— Nullement colorées ?

— Non. Il ne devait pas fumer, si c'est à cela que vous pensez.

— Je ne songeais pas à cela spécialement. Au revoir, docteur, et merci pour votre amabilité.

Au « Gallant Endeavour », il choisit la table qu'il avait occupée avec son ami Bonnington. Il ne reconnut pas la serveuse. Molly, lui dit-elle, était en vacances.

Il n'était que sept heures et le détective n'eut aucun mal à faire parler la jeune fille sur le vieux Mr. Gascoigne.

— Oui, dit-elle. Cela faisait des années qu'il venait ici. Mais aucune de nous ne savait son nom. On a vu sa photo dans le journal, pour l'enquête. « Tiens, ai-je dit à Molly, mais c'est « notre vieux ». »

— Il a dîné ici, le soir de sa mort ?

— Oui. Mardi, le trois. Il venait tous les mardis et les jeudis, ponctuel comme une horloge.

— Vous ne vous souvenez pas, je présume, de ce qu'il a mangé ce soir-là ?

— Attendez... Une soupe au curry, oui... du pudding... ou du mouton... non du pudding ; de la tarte aux mûres et aux pommes et du fromage. Et quand on pense qu'il est rentré chez lui pour tomber dans l'escalier, le même soir ! C'est le cordon de sa robe de chambre qui a fait ça, il paraît. Evidemment, ses vêtements étaient toujours affreux, démodés, et ficelés n'importe comment, mais il avait quand même l'air distingué, comme si c'était quelqu'un ! On a des clients intéressants ici.

Elle s'éloigna et Poirot se consacra à son filet de sole.

Ses yeux brillaient. « C'est étrange, se dit-il, comme les gens les plus intelligents trébuchent sur des détails. Bonnington sera intéressé ».

Mais l'heure d'une conversation amicale avec Bonnington n'avait pas encore sonné.

Armé de puissantes introductions, Hercule Poirot n'éprouva aucune difficulté à avoir un entretien avec le coroner de la région.

— Une curieuse figure, ce Gascoigne, remarqua-t-il. Un homme excentrique et peu sociable. Mais son décès semble provoquer un intérêt bien inhabituel.

Il regardait son visiteur avec curiosité tout en parlant.

Hercule Poirot choisit ses mots avec soin.

— Ce sont les circonstances, monsieur, qui rendent une enquête souhaitable.

— Bien. Comment puis-je vous aider ?

— Selon votre avis, les documents produits en cour de justice sont classés ou détruits, je crois. On a trouvé, n'est-ce pas, une lettre dans la poche de la robe de chambre d'Henry Gascoigne ?

— En effet.

— Une lettre de son neveu, le docteur George Lorrimer ?

— Exactement. La lettre produite à l'enquête aida à fixer la date de la mort.

— Laquelle fut corroborée par l'examen médical ?

— Parfaitement.

— Cette lettre est-elle toujours en votre possession ?

Hercule Poirot attendit la réponse avec anxiété. Il poussa un soupir de soulagement en apprenant que le document existait encore.

On lui présenta la lettre et il l'étudia avec soin. Elle était écrite à la main.

« Cher oncle Henry,

« Je regrette de vous dire que je n'ai pas eu de succès auprès de l'oncle Anthony. Il n'a montré aucun enthousiasme à l'idée d'une visite de votre part et n'a pas voulu répondre à votre désir d'oublier le passé. Il est, évidemment, très malade et n'a plus toute sa tête. Je crains que la fin ne soit proche. Il semblait à peine se souvenir de vous.

« Je suis désolé de ne pas avoir réussi, mais je vous assure que j'ai fait de mon mieux.

« Votre neveu affectionné.

« George Lorrimer. »

La lettre était datée du 3 novembre et le timbre de l'enveloppe portait 16 h 30, 3 novembre.

— Tout est merveilleusement en ordre, murmura le détective.

Kingston Hill fut son objectif suivant.

Après quelques difficultés et une douce obstination, Poirot obtint une entrevue d'Amelia Hill, cuisinière-gouvernante de feu Anthony Gascoigne.

Mrs. Hill était de nature soupçonneuse, mais le charme du détective aurait agi sur une pierre. La gouvernante s'assouplit.

Elle se surprit, comme l'avaient fait tant de femmes avant elle, à raconter ses ennuis à cet auditeur sympathique.

Durant quatorze ans, elle s'était chargée de tenir la maison de Mr. Gascoigne. Quel travail ! N'importe qui aurait succombé à la tâche ! Pour être excentrique, il l'était ! Il ne le niait pas. Et regardant avec ça — une vraie manie — riche comme il l'était !

Mais Mrs. Hill l'avait servi avec fidélité et tenu compte de ses habitudes. Naturellement, elle s'était attendue à un souvenir quelconque. Mais non ! Rien du tout ! Juste un vieux testament laissant tout l'argent à sa femme et, si elle mourait avant lui, à son frère Henry. Un testament établi depuis des années ! Ce n'était pas juste !

Graduellement, Hercule Poirot la détacha de sa préoccupation principale : sa cupidité insatisfaite. C'était effectivement d'une injustice écœurante ! Nul ne songerait à la blâmer de se sentir blessée et surprise. Chacun savait à quel point Mr. Gascoigne tenait serrés les cordons de sa bourse. On avait même dit qu'il avait refusé assistance à son frère unique. Mrs. Hill devait être au courant.

— C'est pour ça que le docteur Lorrimer est venu le voir ? demanda la gouvernante. Je savais qu'il était question du frère, mais je croyais seulement qu'il demandait la réconciliation. Ils s'étaient brouillés depuis un temps fou.

— Mr. Gascoigne s'y est refusé, n'est-ce pas ?

— Oui, reconnut Mrs. Hill. Il pouvait à peine parler mais il a dit : Henry ? Que veut-il ? Je ne l'ai pas vu depuis des années et je ne veux pas le revoir. Henry, c'est un querelleur.

Puis Mrs. Hill reprit le sujet qui lui tenait à cœur et s'étendit sur l'attitude discourtoise de l'homme d'affaires de feu Anthony Gascoigne.

Poirot éprouva quelques difficultés à prendre congé sans mettre fin trop brutalement à la conversation.

Un peu après l'heure du dîner, il se présenta à Elmerest, Dorset Road, Wimbledon, résidence du docteur Lorrimer.

Le médecin était chez lui. On introduisit le détective dans le cabinet où Lorrimer, qui sortait visiblement de table, le rejoignit aussitôt.

— Je ne suis pas un malade, docteur, et ma présence vous semblera peut-être déplacée. Mais je suis un vieux monsieur et j'aime aller droit au but. Je n'apprécie pas les hommes de loi et leurs méthodes alambiquées.

Il avait éveillé l'intérêt de Lorrimer, c'était visible. Le médecin était glabre et de taille moyenne. Il avait les cheveux bruns, mais ses cils décolorés, presque blancs, donnaient à ses yeux un reflet pâle, délavé. Ses gestes étaient vifs.

— Des hommes de loi ? dit-il en levant les sourcils. Au diable ceux-ci ! Vous excitez ma curiosité, cher monsieur. Je vous en prie, asseyez-vous.

Poirot obtempéra et tendit une de ses cartes de visite au médecin.

Les cils blancs de George Lorrimer battirent.

— Ma clientèle est surtout composée de femmes, dit le détective d'un ton de confidence.

— Naturellement, remarqua Lorrimer avec un clignement d'œil.

— Comme vous dites. Les femmes ne font pas confiance à la police officielle. Elles préfèrent les enquêtes privées. Elles ne veulent pas voir leurs ennuis rendus publics. Il y a quelques jours, une vieille dame est venue me trouver. Elle était malheureuse au sujet d'un mari avec lequel elle s'était querellée de longues années auparavant. Ce mari était votre oncle, le défunt Mr. Gascoigne.

George Lorrimer devint écarlate.

— Mon oncle ! C'est ridicule ! Sa femme est morte depuis longtemps.

— Pas votre oncle Anthony Gascoigne, votre oncle Henry Gascoigne.

— L'oncle Henry ? Mais il n'était pas marié !

— Mais si, il l'était, assura Poirot, mentant sans vergogne. Il n'y a aucun doute à cela. Cette dame m'a montré son livret de mariage.

— C'est faux ! s'écria George Lorrimer, le visage lie de vin. Je n'en crois rien. Vous n'êtes qu'un affreux menteur !

— C'est vraiment dommage, n'est-ce pas ? dit Poirot. Vous avez commis un meurtre pour rien.

— Un meurtre ? balbutia le médecin, dont les yeux pâles se dilataient de terreur.

— Au fait, remarqua Poirot, je vois que vous avez encore mangé de la tarte aux mûres. Une mauvaise habitude. Ce sont, dit-on, des fruits pleins de vitamines, mais ils peuvent être mortels aussi. Ils auront fortement contribué à vous passer la corde au cou, docteur Lorrimer.

— Voyez-vous, mon ami, votre raisonnement pêchait par la base, dit Hercule Poirot en souriant aimablement, de l'autre côté de la table, à Mr. Bonnington.

« Un homme sous l'influence d'une forte tension mentale ne

fait pas, à ce moment, ce qu'il n'a jamais fait. Il choisit la ligne de moindre résistance. Un homme bouleversé peut venir dîner en pyjama, mais ce sera le sien, pas celui de quelqu'un d'autre.

« Un être déteste les soupes épaisses, les puddings gras et les mûres et demande à en manger parce que, dites-vous, il pense à autre chose. Mais je déclare qu'un homme préoccupé commandera automatiquement le plat qu'il a l'habitude de demander.

« Eh bien, quelle autre explication pouvait-il y avoir ? Je n'en trouvais aucune raisonnable et cela me préoccupait ! Rien ne cadrait. J'ai un esprit méthodique et j'aime comprendre. Le menu de Mr. Gascoigne me contrariait.

« Puis vous m'avez appris la disparition de l'homme. Pour la première fois depuis qu'on le connaissait, il ne s'était pas montré le mardi et le jeudi. Cela me plut encore moins. Une hypothèse germa dans ma tête. Si elle se tenait, l'homme était mort. Je menai une enquête. Il était mort, en effet, bien proprement. En d'autres termes, le poisson avarié était recouvert de sauce !

« On l'avait vu à sept heures, King's Road. Il avait dîné ici à sept heures trente... deux heures avant sa mort. Tout concordait... le contenu de l'estomac, la lettre. Beaucoup trop de sauce ! On ne voyait plus le poisson !

« Le neveu dévoué écrit une lettre ; il a un merveilleux alibi pour l'heure du décès. Mort causée par une chute dans un escalier. Simple accident ? Meurtre ? Chacun s'accorde pour y voir un accident.

« Unique survivant : le neveu dévoué. Il héritera, mais quoi ? L'oncle est notoirement pauvre.

« Mais il y a un frère qui, dans le temps, a épousé une femme riche. Un frère qui habite une belle et grande maison à Kingston Hill. Vous suivez le jeu ; la femme laisse son argent à Anthony ; Anthony le laisse à Henry qui le laisse au neveu... la chaîne est complète.

— Très beau en théorie, tout ça, objecta Bonnington. Mais qu'avez-vous fait ?

— Quand on sait, on arrive généralement au but que l'on s'est fixé. Henry est mort deux heures après son repas. Et, il s'agissait du déjeuner et non du dîner ? Mettez-vous à la place de George. Il veut de l'argent... désespérément. Anthony Gascoigne est mourant... mais sa mort ne rapportera rien à George. Henry, l'héritier, peut vivre des années encore. Il faut donc qu'il meure et le plus tôt sera le mieux, mais cependant après Anthony.

« Et George doit s'assurer un alibi. Henry a l'habitude de dîner régulièrement au même restaurant, deux jours donnés de la semaine. George, garçon de précaution essaye son plan. Il se fait passer pour son oncle, le lundi, dans le restaurant en question. Ça marche sans heurt. Tout le monde s'y laisse prendre. Il est satisfait. Il lui reste à attendre que l'oncle Anthony manifeste l'intention de s'éteindre.

« L'heure venue, il écrit une lettre à son oncle Henry dans l'après-midi du 2 mais la date du 3. Il vient faire une visite à Henry le 3 et passe à l'action. Une bonne poussée et l'oncle bascule dans l'escalier. George recherche sa lettre et la glisse dans la robe de chambre du mort. A sept heures trente, il est au « Gallant Endeavour » les sourcils en broussaille, barbu, parfaitement déguisé. Aucun doute, Henry Gascoigne est en vie. Puis une métamorphose rapide dans un lavabo et, à toute vitesse à Wimbledon où il occupe la soirée à jouer au bridge. L'alibi parfait.

— Et le cachet de la poste sur la lettre ? demanda Bonnington.

— Très simple. Il était brouillé. Pourquoi ? On l'avait altéré au noir de fumée et mis un trois à la place du deux. Personne ne l'aurait remarqué à moins de le vouloir. Et puis, pour finir, il y avait les mûres.

— Les mûres ?

— Tout compte fait, George n'était pas un bon acteur. Il ressemblait à son oncle, marchait comme lui, parlait comme lui, portait la même barbe et les mêmes sourcils, mais il a oublié de manger comme lui. Il a demandé les plats qu'il aimait lui-même. Les mûres colorent les dents. Celles du mort étaient blanches et cependant Henry Gascoigne avait mangé ce soir-là de la tarte aux mûres au « Gallant Endeavour ». Ce matin, je me suis informé : l'estomac ne contenait pas de ces fruits. — De plus, George a été assez stupide pour conserver la fausse barbe et le reste du maquillage. Oh, les preuves ne manquaient pas si on les avait cherchées. J'ai fait une visite au neveu et lui ai confié une histoire. Cela l'a achevé ! Entre parenthèses, il avait de nouveau mangé des mûres. Un type gourmant, très intéressé par la nourriture. Eh bien, sa gourmandise aura causé sa perte !

A cet instant une serveuse leur apporta de la tarte aux mûres.

— Emportez cela ! s'écria Bonnington. On ne saurait être trop prudent.

TRADUIT DE L'ANGLAIS PAR MONIQUE THIES

DOUBLE MANŒUVRE

(Double sin)

Ayant décidé d'aller rendre visite à mon ami Poirot, je me présentai chez lui et le trouvai surchargé de travail. Sa popularité était devenue telle que toute femme riche égarant un bracelet ou perdant son chien se précipitait chez le grand Hercule Poirot pour s'assurer ses services. Le petit Belge possédait à la fois un esprit réaliste et un tempérament d'artiste. Il acceptait de se charger de certaines missions qui ne l'intéressaient pas tellement, uniquement poussé par son instinct de chercheur.

Il se lançait aussi dans des affaires qui lui rapportaient peu et parfois rien du tout, parce que les problèmes qu'elles posaient le passionnaient. Le résultat était, comme je le disais, qu'il se surmenait. Il l'admit cette fois et je n'eus guère de mal à le convaincre de m'accompagner pour passer une semaine dans ce centre de villégiature bien connu de la côte Sud qu'est Ebermouth.

Nous y avions passé quatre jours très agréables, lorsqu'au matin du cinquième Poirot vint me trouver, une lettre à la main.

— Hastings, vous vous souvenez sans doute de mon ami Joseph Aarons, l'agent théâtral ?

Je dus faire un effort de mémoire pour situer le personnage, car les amis de Poirot sont tellement nombreux et de conditions sociales si variées que cela va de l'éboueur au duc.

— Eh bien ! Hastings, Joseph Aarons habite actuellement à Charlock Bay, son médecin lui ayant ordonné quelques jours de repos. Il me prie d'aller le voir pour l'aider à résoudre un petit problème qui le tracasse. Joseph Aarons est un bon ami qui m'a rendu de grands services autrefois et je me sens obligé de répondre à son appel.

— Tout à fait d'accord. Je crois savoir que Charlock Bay est un endroit charmant et il se trouve que je ne l'ai jamais visité.

— Dans ce cas, nous joindrons l'utile à l'agréable. Vous vous renseignerez sur les horaires des trains ?

— Nous devrons probablement changer plusieurs fois. Vous connaissez ces lignes de banlieue : aller de la côte sud du Devon à la côte nord du même comté peut prendre tout une journée.

Néanmoins, j'appris que notre voyage ne nécessiterait qu'un changement à Exeter et que les trains seraient très confortables. Je me hâtais vers l'hôtel pour rassurer Poirot lorsque, passant devant l'agence de voyage « Speedy Cars », mon regard fut attiré par l'affiche suivante :

« Demain, excursion à destination de Charlock Bay. Départ 8 h 30. »

« L'autocar traversera certains des plus beaux paysages du Devon. »

Je recueillis quelques renseignements complémentaires et regagnai l'hôtel tout heureux de ma découverte. Malheureusement, j'eus beaucoup de mal à persuader Poirot de partager mon enthousiasme.

— Mon ami, pourquoi cette passion de l'autocar ? Les trains, voyez-vous, c'est la sûreté même. Les pneus n'éclatent pas, les accidents ne nous menacent pas à chaque tournant et les fenêtres se ferment, évitant ainsi le désagrément des courants d'air.

J'objectai timidement que l'avantage de respirer l'air pur était ce qui me tentait le plus dans un voyage en autocar.

— Et s'il pleut ? Votre climat anglais change si souvent !

— Une capote(1) est aménagée afin de parer à cet inconvénient. D'autre part, si le temps est vraiment trop mauvais, l'excursion sera annulée.

— Alors, espérons qu'il pleuvra.

— Si vous le prenez ainsi, je...

— Non, non, mon ami. Cette promenade vous tient trop à cœur pour que nous y renoncions. Par bonheur, j'ai apporté mon gros pardessus et deux cache-nez. — Il soupira. — Mais l'autocar restera-t-il assez longtemps à Charlock Bay pour que nous rendions visite à Joseph Aarons ?

(1) A l'époque, les autocars n'étaient encore que des sortes de chars à banc.

— Je crains qu'il ne nous faille passer la nuit sur place, car l'autocar effectue un crochet par Dartmoor ce qui le retardera considérablement. Nous déjeunerons à Monkhampton et arriverons à Charlock Bay vers 16 heures. Le véhicule prend le chemin du retour à 17 heures pour regagner Ebermouth à 22 heures.

— Rien que ça ! Et il y a des gens pour accepter de telles conditions ? Naturellement, nous obtiendrons une réduction puisque nous ne reviendrons pas le même jour ?

— J'en doute fort.

— Vous insisterez.

— Allons, Poirot, ne soyez pas mesquin. Vous êtes plein de sous !

— Là n'est pas la question. Même si j'étais millionnaire, je ne paierais que ce qui est justement et légalement dû.

Ainsi que je le pressentais, Poirot échoua dans sa tentative d'obtenir une réduction. Le gentleman qui délivra nos billets à l'agence « Speedy Cars » se montra intransigeant : nous devions revenir le jour même. Il nous donna même à entendre qu'il nous faudrait payer un supplément pour user du privilège d'abandonner l'autocar à Charlock Bay.

Vaincu, Poirot régla la somme demandée et sortit.

— Ces Anglais n'ont aucun sens des affaires, grogna-t-il. Avez-vous remarqué le jeune homme qui se trouvait devant nous, Hastings ? Il a dû régler le prix du parcours entier, alors qu'il a l'intention de descendre à Monkhampton.

— Je ne me rappelle pas. Au vrai, je...

— Je sais ! Vous dévoriez des yeux la jolie fille qui réservait la place nº 5. Je vous ai vu mon ami ! C'est la raison pour laquelle d'ailleurs, alors que je m'apprêtais à retenir les nº 13 et 14 qui sont au milieu du véhicule et les mieux situés, vous m'avez poussé grossièrement pour affirmer que les nº 3 et 4 seraient parfaits.

Rougissant, je protestai :

— Voyons, Poirot...

— Des cheveux auburn... Toujours la même passion, hein ?

— En tout cas, elle est plus agréable à regarder qu'un jeune homme tout ce qu'il y a de banal.

— Question de point de vue. Pour moi, le jeune homme m'intéressait davantage.

Le ton de mon ami m'intrigua.

— Que voulez-vous insinuer, Poirot ?

— Ne vous emballez pas. Ma curiosité vient probablement du fait que ce garçon se laisse pousser une moustache et que le résultat est assez piteux. — Ce disant, il caressa ses magnifiques moustaches. — C'est tout un art de réussir et j'éprouve une vive sympathie pour tous ceux qui tentent une telle expérience.

Avec Poirot, il est toujours difficile de deviner quand il est sérieux et quand il s'amuse aux dépens de quelqu'un. Pour le moment, je jugeai plus sage de ne pas insister.

Le lendemain matin, un soleil radieux éclairait un ciel sans nuages. Poirot, cependant, ne prit aucun risque. Sur un gilet de laine, il enfila un gros pardessus, un imperméable et s'enroula le cou dans deux cache-nez. De plus, il portait son costume d'hiver. Avant de sortir, il avala deux cachets d'antigrippine et en glissa une dose supplémentaire parmi ses affaires.

Nous avions chacun une petite valise de voyage et nous remarquâmes que la jolie passagère aperçue la veille et le jeune homme intéressant Poirot, en transportaient une, eux aussi. Nos bagages furent placés à l'arrière du véhicule et nous prîmes place à l'intérieur.

Poirot m'assigna, assez malicieusement je crois, le coin de la banquette « à cause de ma manie du grand air » et prit place à côté de notre jolie voisine. Il devait cependant s'amender bientôt, car l'occupant du nº 6 était un homme bruyant et grossier qui incommodait fort notre compagne, il proposa sa place à la jeune fille. Elle le remercia et lorsqu'elle se trouva installée entre nous, nous échangeâmes quelques remarques pour finalement bavarder tous trois comme de vieilles connaissances.

Elle était très jeune — à peine vingt ans — et naïve comme une enfant. Tout de suite, elle nous confia le but de son voyage : régler à Charlock Bay une affaire pour sa tante qui tenait un magasin d'antiquités à Ebermouth.

Cette tante qui s'était trouvée presque démunie à la mort de son père, avait tiré parti de son petit pécule et de la maison paternelle remplie de belles choses, pour ouvrir un commerce. Elle avait merveilleusement réussi et jouissait à présent d'une bonne renommée dans les cercles d'amateurs. La jeune fille — qui s'appelait Mary Durrant — était venue vivre chez sa parente dans le but d'apprendre le métier qui l'intéressait plus que celui de demoiselle de compagnie, seul avenir qui lui était réservé.

Poirot approuva le choix de notre compagne.

— Je suis sûr que vous réussirez, mademoiselle, déclara-t-il avec galanterie, mais, permettez-moi de vous donner un petit conseil, n'accordez jamais votre confiance à personne. Le monde est rempli de coquins et d'aventuriers, peut-être même s'en trouve-t-il dans notre autocar. Il faut toujours se tenir sur ses gardes, être méfiant.

Elle le contempla la bouche ouverte et il poursuivit :

— Je n'exagère pas, croyez-moi. Qui sait ? Même moi, je pourrais être un malfaiteur et de la pire espèce !

Ses yeux pétillèrent de malice devant l'expression ahurie de son auditrice.

A Monkhampton, nous nous arrêtâmes pour déjeuner. Dans la salle du restaurant, bondé et bruyant, Poirot réussit à nous obtenir une table près de la fenêtre. Dans la cour, une vingtaine d'autocars s'alignaient venus de toutes parts.

Je constatai en grimaçant :

— On peut se lasser assez vite de l'enthousiasme premier des vacances.

Mary Durrant approuva :

— Ebermouth en souffre beaucoup au cours de l'été. Ma tante me dit qu'autrefois l'endroit était désert. A présent, on a du mal à se frayer un passage le long des trottoirs tant la foule y est dense.

— Mais, c'est très bon pour les affaires, mademoiselle.

— Pas pour les nôtres, car nous ne vendons que des articles de grande valeur. Ma tante possède une clientèle disséminée à travers l'Angleterre. Lorsque quelqu'un recherche un meuble d'époque, il lui écrit et, tôt ou tard, elle obtient l'objet désiré. C'est d'ailleurs de cette manière que s'est réglée l'affaire que je dois conclure.

Devant nos mines intéressées, elle se laissa aller à nous confier qu'un certain gentleman américain, Mr. J. Baker Wood, collectionneur de miniatures, avait prié sa tante de lui trouver de nouvelles pièces et que récemment, une collection de miniatures très précieuses étant apparue sur le marché, Miss Elisabeth Penn — la tante de Mary — les avait achetées, puis décrites par lettre à Mr. Wood en indiquant le prix qu'elle en demandait. L'Américain répondit aussitôt qu'il consentait à ce qu'on réclamait si les miniatures correspondaient bien à la description faite. Il priait sa correspondante de lui dépêcher un messager avec les précieux portraits, à sa résidence de Charlock Bay. Mary Durrant se chargeait de cette délicate mission.

— Naturellement, les miniatures sont ravissantes — termina-t-elle — mais je ne puis imaginer qu'on en donne une telle somme. Pensez donc, cinq cents livres ! Elles ont été peintes par Cosway... du moins, il me semble que ce soit le nom qu'a prononcé ma tante. Je m'y perds un peu dans ces choses.

Poirot sourit.

— Vous n'avez pas encore assez d'expérience à ce que je constate, mademoiselle ?

— Malheureusement non et ma tante, qui n'a pas été instruite dans ce domaine n'en a pas beaucoup non plus. Il y a tant à apprendre.

Elle soupira. Soudain, je vis ses yeux s'agrandir de surprise. Assise face à la cour, elle fixait un point, par-dessus mon épaule. Sur quelques mots d'excuse hâtifs, elle se leva et sortit de la salle presque en courant. Un instant plus tard, elle nous rejoignait essoufflée.

— Pardonnez-moi de vous avoir quittés si brusquement. J'ai cru voir un homme sortir ma valise de l'arrière de l'autocar. Je me suis précipitée à sa suite, mais il ne s'agissait que de son bagage, apparemment identique au mien. J'ai eu l'air tellement ridicule ! J'ai presque accusé cet inconnu d'être un voleur.

Elle rit, mais Poirot demeura silencieux.

— De quel passager s'agissait-il, mademoiselle ?

— Un jeune homme maigre, vêtu d'un costume marron et portant une petite moustache presque inexistante.

— Ah ! Notre ami d'hier, Hastings. Vous connaissez ce jeune homme, mademoiselle ?

— Non, c'est la première fois que je le vois. Pourquoi ?

— C'est étrange, rien de plus.

Il se plongea dans un silence rêveur, ne prenant aucune part à la conversation jusqu'au moment où Mary Durrant fit une remarque qui le poussa à intervenir.

— Excusez-moi, que disiez-vous, mademoiselle ?

— Simplement qu'au retour, je devrais me méfier des « malfaiteurs » comme vous les appelez. J'imagine que Mr. Wood me paiera en argent liquide et si je me promène avec cinq cents livres, je deviendrai une bonne victime pour un de ces coquins.

A nouveau, elle rit, tandis que mon ami gardait sa mine grave. Il lui demanda à quel hôtel elle avait l'intention de s'installer à Charlock Bay.

— L'hôtel Anchor. Il est discret, bon marché et confortable.

— Tiens ! C'est là qu'Hastings a choisi de réserver nos chambres. Quelle étrange coïncidence !

Il m'adressa un clin d'œil.

La jeune fille s'enquit.

— Vous resterez longtemps à Charlock Bay ?

— Seulement pour la nuit. Une affaire m'y appelle. Je suis sûr que vous n'avez pas deviné quelle est ma profession, mademoiselle ?

Au visage de Mary, nous comprîmes qu'elle supputait plusieurs possibilités mais qu'elle les repoussait probablement par précaution. Finalement, elle déclara en hésitant, que Poirot devait être prestidigitateur. Cela amusa beaucoup mon ami.

— C'est là une très bonne idée ! Vous pensez que je fais surgir un lapin d'un chapeau ? Non, mademoiselle, je suis plutôt le contraire. Voyez-vous, le prestidigitateur escamote les objets et moi, je les fais réapparaître. — Il se pencha vers elle et murmura d'un ton dramatique. — C'est un secret, mademoiselle, que je vous confie : je suis détective.

Il se renversa contre son dossier, satisfait de son petit numéro. Mary Durrant le contemplait, fascinée. L'appel des klaxons nous signifia, à ce moment, que nos autocars nous attendaient pour reprendre la route.

Alors que Poirot et moi quittions la salle de restaurant les derniers, je confiai à mon ami l'admiration que Mary Durrant m'inspirait.

— Elle est en effet charmante... mais aussi très sotte.

— Sotte ?

— Ne soyez pas scandalisé. Une jeune fille peut être belle, posséder une merveilleuse chevelure auburn et se conduire néanmoins comme une sotte. C'est pure folie, en effet, que de mettre deux inconnus dans sa confidence, comme elle l'a fait.

— Elle a tout de suite flairé que nous étions honnêtes.

— Remarque stupide, mon ami. Celui qui a des intentions malhonnêtes cherche naturellement à inspirer confiance. Cette enfant parle de prudence en évoquant le moment où elle voyagera avec cinq cents livres en billets, mais elle les transporte déjà.

— En miniatures ?

— Exactement, en miniatures. Et entre les deux, il n'y a pas grande différence.

— A part nous, personne n'est au courant.

— Vous oubliez le serveur du restaurant et nos voisins de table. Je ne doute pas que quelques personnes d'Ebermouth n'aient eu aussi vent de l'affaire ! Mlle Durrant est charmante. Cependant, si j'étais sa tante, je commencerais par lui inculquer quelques notions de bon sens. — Il se tut un moment et reprit brusquement. — Vous savez, Hastings, rien ne serait plus aisé que de retirer une valise d'un des autocars pendant que les passagers déjeunent.

— Un touriste ne manquerait pas de le remarquer.

— Et alors ? Que verrait-il ? Un voyageur récupérant son bagage au grand jour. Quoi de plus naturel ?

— Insinuez-vous ? Mais ce type au costume marron, c'était sa propre valise.

— Apparemment oui. N'empêche que je trouve curieux qu'il ne l'ait pas prise à sa descente de l'autocar. Vous avez constaté qu'il n'a pas déjeuné ici ?

— Si Miss Durrant ne s'était pas trouvée assise face à la fenêtre, elle n'aurait pas été témoin de ses mouvements dans la cour.

— Et puisqu'il récupérait bien son propre bagage, son témoignage perd toute valeur. N'y pensons plus, mon ami.

Néanmoins, ayant retrouvé nos sièges, et alors que nous roulions vers notre destination, Poirot rappela à la jeune fille les dangers que peut entraîner tout manque de discrétion. Elle accepta ses remarques sans cacher cependant son incrédulité devant cet excès de prudence.

A Charlock Bay, nous eûmes la chance de trouver de la place à l'hôtel Anchor, une charmante auberge de style ancien, située dans une rue isolée.

Poirot venait juste de défaire sa valise et appliquait un peu de pommade sur ses moustaches avant de se rendre chez son ami Aarons, lorsqu'on frappa à notre porte. Sur mon invitation, le battant s'ouvrit et Mary Durrant, très pâle, les yeux remplis de larmes, s'avança en balbutiant :

— Je... je vous demande pardon... Quelque chose d'affreux s'est produit... vous m'avez bien dit que vous étiez détective, monsieur Poirot ?

— Qu'est-il arrivé, mademoiselle ?

— J'ai ouvert ma valise qui contenait une mallette en crocodile fermée à clef, abritant les miniatures. A présent, regardez !

Elle tendit la mallette dont les charnières avaient été forcées. Poirot l'examina et remarqua :

— Il a fallu beaucoup de force pour arracher le couvercle. Les miniatures ?...

— Disparues... volées ! Que vais-je devenir, à présent ?

— Ne vous inquiétez pas, la rassurai-je, mon ami Hercule Poirot est un détective de grand talent. Il saura mieux que personne les retrouver.

— C'est M. Poirot ? Le grand Hercule Poirot ?

L'admiration qui perçait dans sa voix flatta beaucoup mon compagnon qui répondit sans la moindre modestie :

— Oui, mon enfant, lui-même ! Et vous pouvez me confier votre petit problème. Je ferai tout ce qui est en mon pouvoir pour le résoudre. Toutefois, je crains qu'il ne soit déjà trop tard. Dites-moi, est-ce que la serrure de votre valise a été, elle aussi, forcée ?

— Non.

— Puis-je la voir ?

Nous nous rendîmes dans la chambre de la jeune fille où Poirot examina minutieusement son bagage. La serrure avait, de toute évidence, été ouverte à l'aide d'une clef.

— Ce qui ne m'étonne nullement, expliqua Poirot, du fait que ces valises comportent un système de fermeture très simple. Eh bien, il va falloir prévenir la police ainsi que Mr. Wood. Je me charge d'annoncer la nouvelle à l'Américain.

Je le suivis et, une fois seuls, lui demandai ce qu'il avait voulu dire en insinuant qu'il était probablement trop tard.

— Mon cher, j'ai déclaré, aujourd'hui même, que j'étais l'opposé du prestidigitateur. Je fais réapparaître les objets disparus. Mais supposons que quelqu'un m'ait devancé, vous ne comprenez pas ? Vous allez voir.

Il se rendit dans une cabine téléphonique et lorsqu'il en ressortit, cinq minutes plus tard, il affichait un air grave.

— C'est bien ce que je craignais. Une femme s'est présentée

chez Mr. Wood avec les miniatures, il y a une demi-heure. Elle a prétendu venir de la part de Miss Penn et Wood, qui a été emballé par les portraits, l'a tout de suite réglée.

— Une demi-heure, juste avant notre arrivée ?

Poirot eut un soupir énigmatique.

— Les transports « Speedy Cars » sont assez rapides, mais une voiture lancée à vive allure — disons de Monkhampton — arriverait ici avec facilement une heure d'avance sur nous.

— Et maintenant, que faisons-nous ?

— Ce bon Hastings, toujours pratique. Nous informons la police, tentons de réconforter Miss Durrant et je crois que nous devrions rendre une petite visite à Mr. J. Baker Wood.

Nous suivîmes le programme de Poirot. Il nous fut difficile de rassurer la jeune fille qui redoutait les reproches de sa tante.

— Elle les méritera d'ailleurs, affirma Poirot alors que nous nous dirigions vers l'hôtel « Seaside » où logeait l'Américain. Abandonner des objets d'une telle valeur dans une valise pour aller déjeuner. Vous savez, mon ami, il y a un ou deux points dans cette affaire qui me paraissent bizarres. La mallette, par exemple, pourquoi a-t-elle été forcée ?

— Pour y prendre les miniatures, parbleu !

— Mais n'était-ce pas inutile ? Mettons que notre voleur ait ouvert la valise de Miss Durrant pendant que nous déjeunions, sous prétexte de chercher quelque chose dans son propre bagage. N'aurait-il pas été plus logique qu'il transférât la mallette de la valise étrangère dans la sienne, sans perdre un temps précieux à la forcer, courant ainsi le risque d'être surpris en flagrant délit ?

— Sans doute voulait-il s'assurer que la mallette contenait bien les miniatures ?

Poirot n'eut pas l'air convaincu, mais, comme on nous introduisait à ce moment dans l'appartement de notre hôte, il ne put poursuivre.

L'homme qui se trouvait devant nous me fit tout de suite une impression désagréable. Vulgaire, lourd, habillé avec trop de recherche, un large diamant ornant son petit doigt, il s'exprimait sur un ton arrogant et criard.

Naturellement, il n'avait rien remarqué de suspect. La femme apportait les miniatures qui l'intéressaient — très belles d'ailleurs — et il l'avait payée. Avait-il noté le numéro des billets de banque ? Non. Et qui était donc Mr... heu... Poirot, pour venir lui poser toutes ces questions ?

— Avant de me retirer, je voudrais que vous me décriviez la femme qui s'est présentée à vous, monsieur. Etait-elle jeune et jolie ?

— Oh non ! certainement pas. Une grande femme entre deux âges, cheveux grisonnants, teint couperosé et même une ombre de moustache. Rien d'une sirène !

A peine sortis, je m'exclamai :

— Poirot ! Avez-vous entendu... une moustache !

— J'ai entendu, Hastings.

— Quel personnage antipathique cet Américain !

— Il ne connaît pas, en effet, l'usage des bonnes manières.

— Nous n'aurons aucune difficulté à mettre la main au collet du voleur. Il est facilement identifiable.

— Comme vous êtes naïf, mon ami. Ne savez-vous pas qu'il existe une chose appelée alibi ?

— Vous croyez qu'il en aura un ?

A mon grand étonnement, Poirot répliqua :

— Je l'espère sincèrement.

— L'ennui avec vous est que vous aimez qu'une affaire soit compliquée.

— Très juste, mon ami. Je n'aime pas..., comment dites-vous ? chasser le gibier à découvert.

La conjecture de Poirot se trouva confirmée : notre compagnon de voyage au costume marron, un certain Norton Kane, s'était directement rendu à l'hôtel « George » de Monkhampton d'où il n'était pas sorti de l'après-midi. En fait, le seul soupçon à son égard, tenait au témoignage de Mary Durrant.

— Rien de suspect à ce qu'il ait voulu retirer sa valise de l'autocar, commenta Poirot.

Là-dessus, il se plongea dans un silence méditatif duquel il refusa de sortir. Devant mes questions, il me confia simplement qu'il pensait aux moustaches en général et que, pour ma part, je serais bien inspiré de leur accorder quelques réflexions.

Je découvris néanmoins qu'il avait demandé à Joseph Aarons — avec lequel il avait passé la soirée — de lui obtenir le plus de renseignements possible sur Mr. Wood, l'Américain logeant au même hôtel que lui, ce qui avait dû faciliter sa tâche. Mais Poirot garda pour lui ce que son ami lui communiqua plus tard.

Mary Durrant, après avoir été interrogée longuement par la police, avait regagné Ebermouth par le premier train du matin.

Nous déjeunâmes en compagnie d'Aarons et, après le café, Poirot déclara qu'il avait résolu le problème de son ami et qu'à présent rien ne nous retenait plus à Charlock Bay.

— Nous rentrons, Hastings, mais pas par la route ! Cette fois, nous prenons le train.

— Redoutez-vous le voisinage de malfaiteurs éventuels ou les appels au secours d'une nouvelle beauté en détresse ?

— Je pourrais les rencontrer tout aussi bien dans le train. Non, je suis désireux de regagner Ebermouth au plus tôt pour y poursuivre notre petite enquête.

— De quoi parlez-vous ?

— Avez-vous oublié que Mlle Durrant m'a prié de lui venir en aide ? Que la police ait pris l'affaire en main ne signifie pas que je doive me désintéresser des événements en cours. Je suis venu ici dans le but de rendre service à un vieil ami, mais on ne dira jamais qu'Hercule Poirot a abandonné un étranger en détresse ! et il bomba le torse.

— Je crois que votre intérêt a été mis en éveil au moment où vous avez remarqué Norton Kane dans le bureau de l'agence « Speedy Cars ». Je dois vous avouer que la raison de votre intérêt vis-à-vis de ce jeune homme m'échappe encore.

— Vraiment, Hastings ? Pourtant, vous devriez comprendre. Ma foi... il faut que je garde encore le secret.

Avant de partir, nous eûmes un court entretien avec l'inspecteur de police chargé de l'affaire. Il confia à Poirot qu'il avait interrogé Kane, lequel lui fit très mauvaise impression, n'ayant cessé de bafouiller, de nier et de se contredire.

Il avait conclu :

— Le déroulement de l'opération m'échappe. Le garçon a pu remettre son butin à un complice qui se sera aussitôt rendu chez l'acheteur au volant d'une voiture rapide, mais tout cela n'est que de la théorie. Il va falloir que nous recherchions le véhicule, le complice, en un mot, une preuve quelconque susceptible, d'étayer notre théorie.

Dans le train qui nous ramenait à Ebermouth, je demandai à Poirot s'il pensait que le vol avait été effectué de la manière envisagée par l'inspecteur.

— Non, mon ami, bien plus intelligemment que cela.

— C'est-à-dire ?

— Pas encore... Vous savez bien que j'ai la faiblesse de vouloir garder mes petits secrets jusqu'au bout.

— La fin est-elle proche ?

— Oui, très proche.

Nous arrivâmes à Ebermouth un peu après dix-huit heures et, tout de suite, Poirot ordonna à un chauffeur de taxi de nous conduire au magasin d'antiquités qui portait pour enseigne « Elizabeth Penn ». Nous trouvâmes la boutique fermée. Mon ami sonna et la porte nous fut presque aussitôt ouverte par notre compagne de voyage qui exprima sa surprise et son plaisir de nous revoir.

— Je vous en prie, venez parler à ma tante.

Elle nous conduisit à l'arrière-boutique où une femme d'un certain âge s'avança à notre rencontre. Elle ressemblait assez à une miniature, toute frêle, avec son teint délicat et ses yeux bleus ! Autour de ses épaules légèrement voûtées, s'enroulait un châle de dentelle fine.

— Vous êtes donc le grand Hercule Poirot ? s'enquit-elle d'une voix feutrée. Mary m'a raconté et j'ai bien du mal à réaliser ce qui est arrivé. Vous allez vraiment nous aider, nous conseiller ?

Poirot la contempla un moment, puis s'inclinant :

— Mademoiselle Penn..., l'effet est charmant. Mais vous devriez essayer de vous faire pousser une moustache.

La vieille demoiselle poussa une exclamation étouffée et exécuta un léger bond en arrière.

— Hier, vous étiez absente de votre magasin, n'est-ce pas ?

— L'après-midi seulement. Je suis rentrée chez moi souffrant d'une affreuse migraine.

— Vous n'êtes pas rentrée chez vous, mademoiselle. Vous avez essayé d'un changement d'air pour calmer votre migraine. Il paraît que l'air de Charlock Bay est extrêmement tonifiant.

Il me prit le bras et se dirigea vers la porte. Là, il s'arrêta et, sans se détourner, remarqua :

— Vous comprenez que je sais tout. Cette petite farce doit cesser.

Son ton était menaçant. Miss Penn, affreusement pâle, se contenta de remuer la tête en silence. Se tournant vers Mary Durrant, mon ami reprit, avec douceur cette fois :

— Mademoiselle, vous êtes jeune et charmante. Seulement, participer à ce genre de complot conduira vite votre jeunesse derrière les barreaux et moi, Hercule Poirot, je vous affirme que ce serait bien dommage.

Là-dessus, il sortit dans la rue où je le suivis, ahuri. Il m'expliqua aussitôt :

— Dès le début, mon ami, mon intérêt a été éveillé, m'étant aperçu que ce jeune homme en costume marron qui avait loué sa place jusqu'à Monkhampton avait retenu l'attention de Mlle Durrant. Je me suis demandé ce qui l'intéressait en lui, car vous admettrez qu'il ne correspondait guère au genre d'homme inspirant de l'admiration aux femmes. En montant dans l'autocar, j'ai eu le sentiment que quelque chose se produirait tôt ou tard. Qui a vu le jeune homme tripotant les bagages à Monkhampton ? Mlle Durrant, rien que Mlle Durrant, et souvenez-vous, elle avait choisi de s'asseoir face à la fenêtre, ce qui est une impulsion bien peu féminine.

Ensuite, elle arrive chez nous avec l'histoire du vol et la mallette forcée, ce qui ne rimait à rien, ainsi que je vous le démontrai un peu plus tard.

A quoi correspondait tout ce mic-mac ? A ceci : Mr. Baker Wood a acheté des objets volés, il lui faudra donc les restituer à Miss Penn qui, de son côté, les lui revendra, empochant, par ce tour de passe-passe, mille livres au lieu de cinq cents. J'ai pris quelques renseignements sur son compte et j'ai appris que son commerce ne marchait pas bien du tout. Aussitôt, je me suis dit : « La tante et la nièce sont toutes les deux dans le coup. »

— Mais alors, vous n'avez jamais suspecté Norton Kane ?

— Mon ami, avec son semblant de moustache ? Un criminel est imberbe ou affublé d'une moustache bien visible qui peut disparaître rapidement. Mais quelle merveilleuse occasion pour la rusée Miss Penn, une femme plus très jeune, voûtée, au joli teint comme nous l'avons vu. Si elle se redresse, chausse de grosses bottes, altère son teint délicat par quelques coups de pinceau et, pour couronner le tout, s'applique quelques poils sur sa lèvre supérieure, à quelle description correspond-elle ? Une femme masculine, nous dit Mr. Wood, « un homme déguisé » pensons-nous aussitôt.

— Elle s'est donc vraiment rendue à Charlock Bay, hier ?

— Certainement. Le train, si vous vous en souvenez, passait

ici à onze heures et s'arrêtait à Charlock Bay à quatorze heures. Le train du retour est encore plus rapide — le même que nous avons emprunté aujourd'hui — départ à seize heures cinq, arrivée à Ebermouth à dix-huit heures quinze. Naturellement, les miniatures ne se sont jamais trouvées dans la mallette en crocodile, qui avait été artistiquement forcée avant le départ de la jeune fille. Mlle Durrant n'avait plus qu'à trouver deux nigauds, apparemment sensibles à son charme et tout prêts à se porter au secours de la beauté en détresse. Mais l'un des deux nigauds n'était pas nigaud du tout — il s'agissait d'Hercule Poirot !

Son impertinente remarque me vexa. Furieux, je lançai :

— Quand vous dites que vous vous portez au secours d'un étranger, vous m'induisez volontairement en erreur.

— Je ne vous abuse jamais, Hastings, je vous laisse seulement vous perdre sur la piste que vous choisissez. Je faisais allusion à Mr. Baker J. Wood, un étranger dans ce pays. — Son visage s'assombrit. — Ah ! quand je pense à ce crime, cette imposture : oser faire payer un prix à forfait ! la même somme demandée pour un aller et retour que pour un aller simple... Alors, je me sens porté à voler au secours du pauvre étranger. J'admets bien volontiers que Mr. Wood n'est pas un homme agréable, mais il est en visite dans ce pays et nous autres visiteurs, nous devons nous soutenir entre nous, Hastings !

TRADUIT DE L'ANGLAIS PAR CLAIRE DURIVAUX

TRIO A RHODES

(Triangle at Rhodes)

CHAPITRE I

Hercule Poirot s'assit sur le sable blanc et contempla au loin l'étincelante mer bleue. Un peu trop élégamment vêtu de flanelle blanche, la tête abritée sous un panama à larges bords, il appartenait à la génération vieux jeu qui tenait pour essentiel de se préserver soigneusement du soleil. Miss Paméla Lyall, qui bavardait inlassablement à ses côtés, représentait l'école moderne en ce qu'elle portait le minimum de vêtements sur son corps bronzé.

De temps en temps son flot de paroles s'interrompait pendant qu'elle se frottait des pieds à la tête avec un liquide huileux, contenu dans un flacon posé près d'elle.

De l'autre côté de Miss Paméla Lyall, sa grande amie, Miss Sarah Blake, était étendue à plat ventre sur un drap de bain aux rayures multicolores. Le bronzage de Miss Blake était aussi parfait que possible et son amie lui jetait plus d'une fois des regards envieux.

— Je suis encore si inégale, murmura-t-elle d'un air navré. Monsieur Poirot... cela vous ennuierait-il ? Juste en dessous de ma bretelle gauche... je n'arrive pas à l'atteindre pour me frictionner convenablement.

M. Poirot lui rendit ce service, après quoi il s'essuya méticuleusement la main avec son mouchoir. Miss Lyall, dont le principal intérêt dans la vie consistait à observer les gens autour d'elle et à distinguer le son de leur voix, continuait à parler :

— J'avais raison au sujet de cette femme. C'est Valentine Dacres... Chantry, veux-je dire. Je pensais bien que c'était elle, je l'ai reconnue tout de suite. Quelle créature merveilleuse ! Je comprends pourquoi les gens s'éprennent follement d'elle, elle sait si bien les aguicher ! C'est la moitié du succès. Ces nouveaux arrivés d'hier soir se nomment Gold.

— Un couple en voyage de noces ? murmura Sarah d'une voix étouffée.

Miss Lyall secoua la tête d'un air expérimenté.

— Oh non, les robes de la femme ne sont pas assez neuves, on peut toujours reconnaître les nouvelles mariées ! Ne pensez-vous pas, monsieur Poirot, qu'il n'est rien de plus passionnant que d'observer les gens en essayant de découvrir quantité de choses les concernant, simplement en les regardant ?

— Oh, pas simplement ainsi, ma chère, dit suavement Sarah. Tu poses aussi un tas de questions.

— Je n'ai même pas encore adressé la parole aux Gold, répondit Miss Lyall avec dignité, et, de toute façon, je ne vois pas pourquoi on ne s'intéresserait pas à ses semblables. La nature humaine est si attachante ! N'est-ce pas votre avis, monsieur Poirot ?

Elle se tut assez longtemps cette fois pour permettre à son compagnon de répondre :

— Cela dépend, déclara Poirot sans quitter des yeux la mer bleue.

Paméla parut scandalisée.

— Oh, monsieur Poirot ! Je trouve qu'il n'y a rien de plus intéressant, de plus inconcevable que les humains.

— Inconcevable ? Certainement pas.

— Oh, mais si. Au moment précis où l'on croit les avoir pénétrés à fond, ils font une chose complètement inattendue.

Hercule Poirot tourna la tête.

— Non, ce n'est pas exact. Il est extrêmement rare que quelqu'un commette une action qui ne soit pas dans son caractère.

— Je ne suis pas du tout d'accord avec vous ! s'écria Miss Paméla Lyall.

Elle garda le silence pendant au moins une minute et demie avant de reprendre l'attaque.

— Dès que j'aperçois les gens, je commence à essayer de les percer à jour. Savoir ce qu'ils sont l'un pour l'autre, ce qu'ils pensent ou ressentent, est d'un intérêt palpitant.

— Ce n'est pas mon avis, dit Hercule Poirot, la nature se

répète plus fréquemment que l'on se l'imagine. La mer, ajouta-t-il pensivement, offre infiniment plus de variété.

Sarah, tournant la tête vers lui, demanda :

— Vous pensez que les êtres humains sont susceptibles de se classer selon certains modèles, d'après certains clichés ?

— Précisément, dit Poirot qui, du bout du doigt, traça quelques lignes sur le sable.

— Que dessinez-vous ? demanda Paméla avec curiosité.

— Un triangle.

Mais l'attention de Paméla s'était portée ailleurs.

— Voici les Chantry, dit-elle.

Une femme s'avançait sur la plage, une grande femme, manifestement orgueilleuse de sa personnalité et de son corps. Après un léger signe de tête et un demi-sourire elle s'assit à quelque distance. Son peignoir de soie rouge et or glissa de ses épaules, elle portait un maillot de bain tout blanc.

Paméla soupira :

— Quelle silhouette ravissante ! n'est-ce pas ?

Mais Poirot regardait son visage : le visage d'une femme de trente neuf ans, célèbre pour sa beauté depuis l'âge de seize ans.

Il connaissait, comme tout le monde, la réputation de Valentine Chantry. Elle a été célèbre à plus d'un titre, pour ses caprices, sa fortune, pour ses immenses yeux de saphir, pour ses entreprises matrimoniales et ses aventures. Elle avait eu cinq maris et d'innombrables amants. Tour à tour, épouse d'un comte italien, d'un roi de l'acier américain, d'un joueur de tennis professionnel et d'un coureur automobile. De ces quatre maris, seul l'Américain était mort, les autres avaient été semés négligemment par un divorce en cour de justice. Six mois auparavant elle s'était mariée une cinquième fois avec un capitaine de frégate.

C'était lui qui arrivait sur la plage, derrière elle. Silencieux, sombre, le menton en bataille, l'air renfrogné. Il portait en lui quelque chose de simiesque, évoquant les primates des premiers âges.

— Tony chéri, dit-elle, mon étui à cigarettes...

Il le lui tendit, alluma sa cigarette, l'aida à faire glisser de ses épaules les bretelles de son costume de bain. Elle s'étendit bras écartés en plein soleil, il s'assit auprès d'elle, semblable à une bête sauvage gardant sa proie.

Paméla, baissant un peu la voix, déclara :

— Savez-vous qu'ils m'intéressent terriblement... Lui a l'air d'une telle brute ! Toujours muet, l'air farouche. Je suppose qu'une femme de sa sorte aime ce genre-là ; il doit ressembler à un dompteur de tigre ! Je me demande combien de temps cela durera. Elle se lasse vite de ses conquêtes, je crois, surtout par le temps qui court. N'empêche que si elle essaye de se débarrasser de lui, je crois que ce pourrait être dangereux.

Un autre couple s'avançait sur la plage assez timidement. C'étaient les arrivés de la veille, Mr. et Mrs. Douglas Gold, ainsi que Miss Lyall l'avait appris en examinant le registre de l'hôtel. Elle connaissait aussi — ainsi le veut le règlement en Italie — leurs prénoms et leurs âges inscrits sur leurs passeports.

Mr. Douglas Cameron Gold avait trente et un ans et Mrs. Marjorie Emma Gold, trente-cinq.

La marotte de Miss Lyall, ainsi qu'il a été dit, consistait à étudier ses semblables. Contrairement à la plupart de ses compatriotes elle était capable d'adresser immédiatement la parole aux étrangers, au lieu d'attendre plusieurs jours pour faire une avance prudente, ainsi qu'il est d'usage chez les britanniques. En conséquence, ayant remarqué l'hésitation et la timidité d'allure de Mrs. Gold, elle lui cria :

— Bonjour, quel temps magnifique, n'est-ce pas ?

Mrs. Gold était une petite femme qui ressemblait un peu à une souris. Pas laide d'ailleurs, ses traits étaient réguliers et son teint frais, mais elle avait un air d'excessive modestie et un manque d'élégance qui la faisaient passer inaperçue. Son mari, au contraire, d'une beauté remarquable, avait un physique de théâtre. Très blond, cheveux frisés, yeux bleus, larges épaules et hanches étroites, il ressemblait plutôt à un acteur en scène qu'à un simple jeune homme dans la vie réelle ; mais, dès qu'il ouvrait la bouche, cette impression s'effaçait. Il était tout à fait naturel, simple et peut-être même un peu sot.

Mrs. Gold regarda Paméla d'un air reconnaissant et s'assit auprès d'elle :

— Quel joli bronzage vous avez obtenu ! Je me sens terriblement pâle à côté de vous !

— Oh ! Il faut se donner beaucoup de mal pour obtenir un hâle uniforme, soupira Miss Lyall.

Elle s'interrompit une minute et reprit :

— Vous venez d'arriver, n'est-ce pas ?

— Oui, hier soir. Nous sommes venus par le Vapore d'Italia.

— Avez-vous déjà séjourné à Rhodes ?

— Non, c'est un endroit charmant, n'est-il pas vrai ?

— Dommage que ce soit si loin, remarqua son mari.

— Oui, si seulement c'était plus près de l'Angleterre !

Sarah, toujours à plat ventre, protesta :

— Mais ce serait affreux ! Il y aurait des rangées de gens étalés sur la plage comme des poissons sur les dalles, des corps partout.

— C'est vrai, fit Douglas Gold. Dommage que le change italien soit absolument ruineux en ce moment.

— Cela fait une grande différence, n'est-ce pas ?

La conversation roulait sur des sujets d'une extrême banalité, on n'aurait guère pu la qualifier de brillante.

Plus loin sur la plage, Valentine Chantry s'agita et se dressa sur son séant en maintenant son maillot de bain sur sa poitrine.

Elle bâilla délicatement comme une jeune chatte et tourna la tête. Son regard, passant sur Marjorie Gold, se fixa sur la tête casquée d'or de Douglas Gold.

Elle ondula des épaules et dit d'une voix plus haute qu'il n'était nécessaire :

— Tony chéri, ce soleil n'est-il pas divin ? J'ai dû être autrefois une adoratrice du soleil, n'est-ce pas votre opinion ?

Son mari grommela une réponse que les autres n'entendirent pas. Valentine Chantry reprit d'une voix perçante en traînant sur les mots :

— Voulez-vous aplatir un peu mon drap de bain, chéri, il est tout froissé.

Elle prit mille précautions pour étendre à nouveau son corps magnifique. Douglas Gold la regardait maintenant d'un air manifestement intéressé.

— Quelle femme splendide !

Paméla, aussi heureuse de donner que de recevoir un renseignement, répondit en baissant la voix :

— C'est Valentine Chantry, l'ex-Valentine Dacres, elle est d'une merveilleuse beauté, n'est-ce pas ? Son mari est absolument fou d'elle et ne la quitte pas de vue un seul instant.

Mrs. Gold parcourut à nouveau la plage du regard.

— La mer est réellement splendide... si bleue. Je crois que nous devrions y entrer maintenant, Douglas ?

Celui-ci, qui guettait toujours Valentine Chantry, mit un certain temps à répondre d'un air absent :

— Dans l'eau ? Oh oui, dans un instant.

Marjorie Gold se leva et s'avança jusqu'au bord de la mer.

Valentine Chantry regarda Douglas Gold, et sa bouche écarlate s'incurva dans un léger sourire.

Le cou de Mr. Douglas rougit aussitôt.

— Tony chéri, reprit Valentine Chantry, cela vous ennuie-rait-il ? Je voudrais le petit pot de crème pour le visage qui se trouve sur ma coiffeuse. J'ai oublié de l'apporter. Allez me le chercher, vous serez un ange.

Le capitaine de frégate se leva avec soumission et se dirigea vers l'hôtel.

Marjorie Gold plongea dans la mer en criant :

— C'est délicieux, Douglas, l'eau est chaude. Venez !

Paméla Lyall se tourna vers lui :

— N'allez-vous pas la rejoindre ?

— Oh, je préfère me réchauffer complètement d'abord, répondit-il évasivement.

Valentine Chantry s'agita et souleva la tête comme si elle allait rappeler son mari, mais celui-ci était déjà entré dans le jardin.

— J'aime prendre mon bain à la dernière minute, expliqua Mr. Gold.

Mrs. Chantry, s'asseyant de nouveau, prit un flacon d'huile solaire qu'elle s'efforça de déboucher, sans y réussir.

— Oh mon Dieu ! s'écria-t-elle d'un ton irrité, je n'arrive pas à ouvrir ce flacon...

Elle se tourna vers le groupe :

— Je me demande...

Toujours galant, Poirot s'était levé, mais Douglas Gold, plus jeune et plus souple, l'avait devancé.

— Puis-je vous l'ouvrir ?

— Oh ! merci ; sa voix avait repris sa douceur affectée. Vous êtes très bon, je suis si empruntée pour déboucher ces flacons, je tourne toujours du mauvais côté. Oh ! Vous avez réussi ! Merci beaucoup.

Hercule Poirot sourit. Il s'était levé et se mit à longer la plage, d'un pas nonchalant, dans la direction opposée, sans aller très loin. Lorsqu'il revint Mrs. Gold sortit de l'eau et le rejoignit. Elle avait nagé, son visage, sous un bonnet de bain singulièrement peu seyant, était radieux.

— J'adore la mer, dit-elle encore essoufflée. Et il fait si chaud, si bon ici !

Poirot devina en elle une baigneuse enthousiaste.

— Douglas et moi sommes absolument fous des bains de mer. Il peut y rester pendant des heures.

Le regard d'Hercule Poirot, passant par-dessus l'épaule de la jeune femme, se porta vers le point de la plage où ce baigneur fanatique, Mr. Douglas Gold, assis près de Valentine Chantry, bavardait avec elle.

— Je ne comprends pas qu'il ne vienne pas dans l'eau, dit sa femme d'un air de surprise enfantine.

Le regard de Poirot se fixa pensivement sur Valentine Chantry, il pensa que d'autres femmes avaient en leur temps fait la même remarque.

A côté de lui, il entendit Mrs. Gold retenir soudain son souffle.

Elle déclara, et son ton était glacial :

— On la dit très séduisante, je crois, mais Douglas n'aime pas ce type de femme.

Hercule Poirot ne répondit pas.

Mrs. Gold plongea de nouveau dans la mer.

Elle s'éloignait du rivage en longues brassées régulières, on voyait qu'elle se plaisait dans l'eau.

Poirot se dirigea vers le groupe assis sur la plage. Celui-ci s'était augmenté du fait de l'arrivée du vieux général Barnes, un vétéran qui aimait la compagnie des jeunes. Assis entre Sarah et Paméla, il s'efforçait avec cette dernière de réveiller différents scandales en les enjolivant comme il se doit.

Le capitaine de frégate Chantry étant revenu près de sa femme, Douglas Gold et lui étaient assis de chaque côté de Valentine qui, très droite entre les deux hommes, conversait de sa douce voix traînante en s'adressant alternativement à l'un et à l'autre.

Elle terminait une anecdote :

— ... et devinez un peu ce que cet homme absurde a dit ? « Cela n'a pu être qu'une minute, mais je me souviendrais de vous n'importe où, Madame ! » C'est bien cela Tony, n'est-ce pas ? J'ai pensé que c'était si charmant de sa part. Le monde entier est si bien... je veux dire que tous les gens sont toujours si charmants pour moi, je ne sais pas pourquoi, mais c'est un fait. Alors j'ai dit à Tony, vous vous souvenez, chéri ? : — « Tony, si vous désirez être un tout petit peu jaloux vous pouvez l'être de ce commissionnaire, parce qu'il était vraiment trop adorable ».

Il y eut un silence, puis Douglas Gold remarqua :

— Certains de ces commissionnaires sont de braves gens.

— Oh oui, mais il s'était donné beaucoup de mal, vraiment, et semblait simplement heureux d'avoir pu m'aider.

— Il n'y a rien d'étonnant à cela, reprit Douglas. N'importe qui ferait la même chose pour vous.

Elle s'écria d'un air ravi :

— Comme c'est gentil de me le dire ! Tony avez-vous entendu cela ?

Le capitaine Chantry poussa un grognement.

Sa femme soupira :

— Tony ne dit jamais de jolies choses, n'est-ce pas, mon chou ?

Sa main blanche aux longs ongles carminés ébouriffa les cheveux noirs du mari qui lui jeta un brusque regard de côté. Elle murmura :

— Je ne sais vraiment pas comment il peut me supporter. Il est terriblement intelligent, il sait des tas de choses, et je ne fais que dire des bêtises la plupart du temps, mais il ne paraît pas s'en offusquer. Personne ne trouve mal ce que je dis ou ce que je fais, tout le monde me gâte. Je suis sûre que c'est très mauvais pour moi.

Le capitaine Chantry s'adressa à l'autre homme :

— N'est-ce pas votre femme qui est dans l'eau ?

— Si, et je pense qu'il est temps d'aller la rejoindre.

— Mais il fait tellement bon ici, au soleil, murmura Valentine. Il ne faut pas y aller si tôt. Tony chéri, je ne crois pas que je me baignerai aujourd'hui, pas le premier jour. Je pourrais prendre froid, mais pourquoi n'iriez-vous pas dans l'eau maintenant, Tony chéri ? Mr... Mr. Gold me tiendra compagnie pendant que vous vous baignerez.

Chantry répondit d'un air rébarbatif :

— Non, merci. Je n'ai pas l'intention de me baigner en ce moment. Votre femme paraît vous faire des signes, Gold.

— Comme elle nage bien ! dit Valentine, je suis sûre qu'elle est une de ces femmes parfaites qui réussissent à tout faire. Elles m'épouvantent toujours car je sens qu'elles me méprisent, je suis si maladroite, une vraie mazette, n'est-ce pas, Tony chéri ?

Le capitaine Chantry se contenta de nouveau d'un grognement en guise de réponse.

Sa femme murmura tendrement :

— Vous êtes trop bon de l'admettre. Les hommes sont merveilleusement loyaux, c'est ce que j'aime chez eux. Je crois les hommes infiniment plus francs que les femmes, et ils ne disent jamais de choses désagréables. Je pense toujours que les femmes sont mesquines.

Sarah Blake roula sur le côté vers Poirot et murmura entre ses dents :

— Exemple de mesquinerie : suggérer que la chère Mrs. Chantry n'est pas rigoureusement parfaite en tout. Quelle idiotie ! Je crois réellement que Valentine Chantry est la femme la plus stupide que j'aie jamais rencontrée. Elle ne sait pas faire autre chose que dire « Tony chéri » et rouler les yeux. J'imagine qu'elle a le crâne bourré de ouate à la place du cerveau.

Poirot haussa les sourcils.

— Vous êtes un peu sévère ! (1)

— Oh oui ! Appelez cela « chatterie » si vous voulez. Elle a certainement ses procédés, mais ne peut jamais laisser un homme en paix, n'importe lequel. Son mari a l'air furieux.

Poirot, qui regardait la mer, remarqua :

— Mrs. Gold nage vraiment bien.

— Oui, elle n'est pas comme nous qui trouvons ennuyeux de nous mouiller. Je me demande si Mrs. Chantry ira jamais dans l'eau pendant qu'elle est sur la place.

— Sûrement pas, dit le général Barnes d'une voix enrouée, elle risquerait d'abîmer son maquillage. Je reconnais pourtant qu'elle est belle femme, bien qu'elle ait peut-être les dents un peu trop longues pour mon goût.

— Elle vous regarde, Général, dit Sarah malicieusement. Et vous vous trompez au sujet du maquillage, nous sommes toutes à l'épreuve de l'eau et des baisers aujourd'hui.

— Mrs. Gold sort de l'eau, annonça Paméla.

(1) En français dans le texte.

— « Nous voici cueillant des noisettes et des filles » chantonna Sarah. « Voici sa femme qui vient l'emmener... qui vient l'emmener... qui vient l'emmener... ».

Mrs. Gold se dirigeait directement sur le groupe, elle avait un très joli corps, mais son bonnet imperméable était vraiment trop pratique pour être élégant.

— Venez donc Douglas ? dit-elle avec impatience. La mer est délicieuse et chaude.

— Volontiers.

Douglas Gold se leva précipitamment. Il s'arrêta un instant pendant lequel Valentine Chantry le regarda en souriant doucement.

— Au revoir, dit-elle.

Gold et sa femme se dirigèrent vers la mer.

Dès qu'ils furent hors de portée de la voix, Paméla déclara d'un air averti :

— Arracher son mari à une autre femme est toujours une mauvaise tactique. Cela vous donne un air dénominateur et les maris détestent cela.

— Vous semblez bien au courant des réactions des maris, Miss Paméla, dit le général Barnes.

— De ceux des autres, pas du mien !

— Ah ! c'est là que réside toute la différence.

— Oui, général, mais j'aurai appris beaucoup de choses au sujet de ce qu'on ne doit pas faire.

— Et d'abord, chérie, dit Sarah, je ne m'affublerai pas d'un bonnet de bain comme le sien...

— Cela me paraît très sensé, dit le général, elle semble être dans l'ensemble une gentille petite femme très raisonnable.

— Vous avez deviné juste, général, dit Sarah, mais, vous savez, il y a une limite à la raison des femmes sensées. J'ai l'impression qu'elle ne sera pas si raisonnable en ce qui concerne Valentine Chantry.

Elle tourna la tête, étouffa une exclamation et dit à voix basse :

— Regardez-le maintenant, il a l'air hors de lui ; cet homme me paraît avoir un caractère épouvantable.

Le capitaine de frégate Chantry regardait tour à tour, d'un air menaçant, le mari qui s'en allait et sa femme en grommelant d'une façon singulièrement déplaisante.

Sarah regarda Poirot.

— Et bien ? dit-elle. Que pensez-vous de tout cela ?

Hercule Poirot en guise de réponse, traça de nouveau un dessin sur le sable. Le même dessin : un triangle.

— L'éternel trio, murmura Sarah. Peut-être avez-vous raison. S'il en est ainsi nous allons vivre des jours sensationnels dans les semaines à venir.

CHAPITRE II

M. Hercule Poirot était désappointé par Rhodes, il y était venu pour prendre des vacances, surtout pour ne plus avoir affaire au crime. On lui avait dit qu'à la fin d'octobre, Rhodes, presque vidé de ses touristes, serait un lieu paisible et solitaire.

C'était vrai dans une certaine mesure. Les Chantry, les Gold, Paméla, Sarah, le général et lui-même, ainsi que deux couples d'italiens, étaient les seuls hôtes présents. Mais, à l'intérieur de ce cercle restreint, le cerveau intelligent d'Hercule Poirot voyait se dessiner l'inévitable déroulement d'événements à venir.

— J'ai l'esprit tourné vers le crime, se reprocha-t-il. Je suis intoxiqué et mon imagination me joue des tours.

Mais il était tourmenté.

Un matin, en descendant, il aperçut Mrs. Gold en train de coudre sur la terrasse. En s'approchant d'elle, il eut l'impression qu'elle dissimulait vivement un fin mouchoir de linon.

Les yeux de Mrs. Gold étaient secs, mais d'un éclat suspect. Sa façon d'être le frappa aussi comme anormalement joyeuse. Sa gaîté paraissait un peu surfaite.

— Bonjour, monsieur Poirot, dit-elle avec un enthousiasme bien fait pour accentuer ses doutes.

Il lui parut qu'elle ne pouvait pas être aussi contente de le voir qu'elle le manifestait car, après tout, elle le connaissait à peine. Bien qu'Hercule Poirot fût un petit homme fort orgueilleux pour tout ce qui concernait sa profession, il était très modeste dans l'évaluation de ses attraits personnels.

— Bonjour, Madame, répondit-il. Voilà encore une belle journée en perspective.

— Oui, n'est-ce pas merveilleux ? Mais Douglas et moi avons toujours beaucoup de chance pour le temps.

— Vraiment ?

— Oui, et nous avons en vérité beaucoup de chance en général, monsieur Poirot, quand on voit autour de soi tant d'ennuis et de malheurs, tant de ménages qui divorcent, on doit être très fier de son propre bonheur.

— Il est agréable de vous l'entendre dire, madame.

— Oui. Douglas et moi sommes merveilleusement heureux ensemble. Savez-vous que nous sommes mariés depuis cinq ans, et, après tout, cinq ans c'est une longue période par le temps qui court...

— Je ne doute pas qu'en certains cas cela doive sembler une éternité, madame, répondit sèchement Poirot.

— ... mais je crois vraiment que nous nous entendons mieux encore maintenant qu'au début de notre mariage. C'est que nous sommes absolument faits l'un pour l'autre. Vous comprenez ?

— C'est, en vérité, l'essentiel de l'entente.

— Voilà pourquoi je plains tant les gens qui ne sont pas heureux.

— A qui faites-vous allusion ?

— Oh ! Je parlais en général, monsieur Poirot.

— Je comprends.

Mrs. Gold prit un brin de soie, le regarda de près et poursuivit :

— Mrs. Chantry, par exemple.

— Pourquoi Mrs. Chantry ?

— Je ne la crois pas du tout gentille.

— Peut-être avez-vous raison.

— En fait je suis certaine qu'elle ne l'est pas, et, en un certain sens, on peut la trouver à plaindre, car, en dépit de sa fortune, de sa beauté et de tout le reste — les doigts de Mrs. Gold tremblaient si fort qu'elle ne parvenait pas à enfiler son aiguille — elle n'est pas le genre de femme à laquelle les hommes peuvent s'attacher. Elle appartient au genre dont les hommes se lassent très facilement. N'est-ce pas votre avis ?

— Oh, moi, je me lasserais certainement très vite de sa conversation, répondit prudemment Poirot.

— Oui, c'est ce que je veux dire. Elle possède évidemment

un certain charme... Mrs. Gold hésita, ses lèvres tremblaient, elle piquait son aiguille au hasard. Un observateur même moins pénétrant qu'Hercule Poirot n'eût pu manquer de remarquer sa détresse. Elle poursuivit assez illogiquement :

— Les hommes sont de véritables enfants ! Ils croient n'importe quoi.

Elle se pencha sur son ouvrage et le minuscule mouchoir parut à nouveau discrètement.

Hercule Poirot trouva bon de changer de sujet.

— Vous ne vous baignez pas ce matin ? dit-il. Votre mari est-il descendu sur la plage ?

Mrs. Gold releva la tête, cilla et, reprenant son attitude de gaîté presque provocante, répondit :

— Non, pas ce matin. Nous étions convenus de visiter les fortifications de la vieille cité, mais je ne sais comment nous nous sommes manqués. Ils sont partis sans moi.

Le pronom était révélateur, mais, avant que Poirot pût dire un mot, le général Barnes remontant de la plage, se laissa tomber dans un fauteuil à côté d'eux.

— Bonjour Mrs. Gold. Bonjour Poirot. Vous êtes deux déserteurs ce matin ? Il y a de nombreux absents, vous deux et votre mari, Mrs. Gold, et Mrs. Chantry.

— Et le capitaine Chantry ? demanda Poirot.

— Oh non, il est là-bas et Miss Paméla l'a pris en main — le général rit sous cape — elle le trouve un peu difficile ! C'est l'un de ces hommes fermés et silencieux tels qu'on les décrit dans certains livres.

Marjorie Gold eut un léger frisson.

— Cet homme me fait un peu peur. Il a l'air si sombre, si mauvais parfois, qu'on le croirait capable de n'importe quoi.

Elle frissonna de nouveau.

— Cela tient sans doute à des digestions difficiles, dit gaiement le général. La dyspepsie est responsable de nombreuses réputations de mélancolies romantiques ou de colères insurmontables.

Marjorie eut un petit sourire poli.

— Et où se trouve votre cher mari ? demanda le général.

La réponse vint sans hésitation, d'une voix naturelle et joyeuse.

— Douglas ? Oh il est parti en ville avec Mrs. Chantry. Ils ont dû aller voir les fortifications de l'antique cité.

— Ah oui ! c'est très intéressant. Elles remontent au temps de la chevalerie, vous auriez dû y aller aussi, petite madame.

— Malheureusement je me suis réveillée assez tard.

Elle se leva subitement, murmura une excuse et rentra dans l'hôtel.

Le général Barnes la suivit des yeux d'un air navré en hochant la tête.

— Voilà une gentille petite femme qui vaut mieux qu'une douzaine de guenipes fardées comme certaine personne dont nous ne dirons pas le nom. Ah ! le mari est un imbécile ! Il ne sait pas apprécier ce qu'il a.

Haussant les épaules, il se leva et rentra à l'intérieur.

Sarah Blake, qui remontait de la plage, avait entendu la dernière phrase du général.

Elle fit la grimace dans le dos du guerrier et se jeta dans un fauteuil.

— Gentille petite femme, gentille petite femme ! Les hommes approuvent toujours les femmes mal fagotées, mais quand il s'agit d'en venir au fait, les filles à grand tralala gagnent toujours ! C'est triste mais vrai.

— Mademoiselle, dit brusquement Poirot, je n'aime pas tout cela !

— Vraiment ? Moi non plus. Si, pour être franche, je suppose que cela me plaît. J'éprouve l'affreux penchant de quelqu'un qui aime les accidents, les calamités publiques et les choses désagréables qui arrivent à ses semblables.

Poirot lui demanda :

— Où se trouve le capitaine Chantry ?

— Sur la plage en train d'être disséqué par Paméla (qui est ravie) et le procédé n'améliore pas son humeur. Il ressemblait à un nuage d'orage quand je suis partie. Il y a des tempêtes en perspective.

Poirot murmura :

— Il existe quelque chose que je ne comprends pas...

— C'est pourtant facile à comprendre, dit Sarah. Quant à ce qui va arriver ? C'est la question qui se pose.

Poirot secoua la tête et murmura :

— Comme vous le dites, mademoiselle, c'est l'avenir qui cause mon inquiétude.

— Quelle charmante façon de l'exprimer, dit Sarah avant de rentrer dans l'hôtel.

En ouvrant la porte, elle faillit se heurter à Douglas Gold. Le jeune homme sortit visiblement assez satisfait de lui-même bien qu'ayant la conscience un peu troublée.

— Hello, monsieur Poirot, dit-il, avant d'ajouter d'un air avantageux, je suis allé montrer les murailles des Croisés à Mrs. Chantry. Marjorie n'a pas eu envie de nous accompagner.

Poirot haussa légèrement les sourcils, mais, l'eût-il voulu, qu'il n'aurait pas eu le temps de répliquer car Valentine Chantry arriva toutes voiles dehors en criant à tue-tête :

— Douglas, un gin rose, il me faut absolument un gin rose.

Douglas se précipita pour commander la boisson et Valentine se laissa tomber dans un fauteuil à côté de Poirot. Elle semblait radieuse ce matin-là.

Apercevant son mari et Paméla qui remontaient vers eux elle leur fit signe et s'écria :

— Eh bien, Tony chéri, avez-vous pris un bon bain ? Cette matinée n'est-elle pas adorable ?

Le capitaine Chantry ne répondit pas.

Il escalada rapidement les marches et, passant auprès d'elle sans un mot, sans un regard, disparut à l'intérieur du bar.

Ses poings serrés au bout de ses longs bras le faisaient ressembler davantage à un gorille.

La bouche parfaite mais assez sotte de Valentine Chantry en était restée béante.

— Oh ! fit-elle.

Le visage de Paméla Lyall exprimait une intense satisfaction. Masquant autant que faire se pouvait son penchant naturel pour l'inquisition, elle s'assit près de Valentine Chantry et lui demanda :

— Avez-vous passé une agréable matinée ?

— Tout simplement merveilleuse, nous...

A cet instant, Poirot se leva et se dirigea aussi vers le bar. Il y trouva le jeune Gold qui, le visage congestionné, l'air furieux, attendait le gin rose.

— Cet homme est une brute, dit-il à Poirot en indiquant d'un signe de tête le capitaine Chantry qui s'éloignait.

— C'est possible, dit Poirot, c'est même fort possible, mais les femmes aiment les brutes, souvenez-vous en.

— Je ne serais pas surpris s'il la maltraitait, murmura Douglas.

— Cela lui plaît aussi probablement.

Douglas Gold le regarda éberlué, puis il prit le gin et l'emporta sur la terrasse.

Hercule Poirot s'assit sur un tabouret et commanda un sirop de cassis(1). Pendant qu'il le savourait avec de longs soupirs de satisfaction, Chantry revint et s'envoya plusieurs gins roses à la file.

Soudain il s'écria autant pour la galerie que pour Poirot :

— Si Valentine s'imagine pouvoir se débarrasser de moi comme elle l'a fait d'un tas d'autres foutus imbéciles, elle se trompe ! Je l'ai et entends la garder. Aucun autre homme ne me la prendra à moins de passer sur mon cadavre.

Jetant une poignée de monnaie sur le comptoir, il tourna les talons et disparut à nouveau.

CHAPITRE III

Trois jours plus tard, Hercule Poirot partit en excursion à la Montagne du Prophète. Le trajet fut agréable dans la fraîcheur de la forêt de sapins, la route s'élevait en lacets de plus en plus haut bien au-dessus des mesquines querelles et des chamailleries des humains. Le car s'arrêta devant le restaurant. Poirot en descendit et s'engagea sous les arbres ; il finit par arriver dans un endroit qui semblait être le bout du monde. Très loin en dessous, étincelante et bleue, on apercevait la mer.

Là enfin il retrouvait la paix loin des soucis, et de l'agitation des foules. Après avoir étalé soigneusement son léger pardessus sur un tronc d'arbre, Hercule Poirot s'assit.

« Sans aucun doute le Bon Dieu sait ce qu'il fait, songeait-il, mais c'est étrange qu'il se soit plu à créer certains êtres humains. Enfin, pendant que je suis ici, me voilà délivré de ces ennuyeux problèmes ».

Il releva la tête et tressaillit. Une petite femme vêtue d'une veste et d'une jupe chamois se précipitait vers lui. C'était

(1) En français dans le texte.

Marjorie Gold qui, cette fois, avait abandonné toute simulation. Son visage ruisselait de larmes.

Poirot ne pouvait s'échapper, elle était sur lui.

— Monsieur Poirot, il faut que vous m'aidiez. Je suis si malheureuse et je ne sais que faire ! Oh ! que faire ? Que faire ?

Elle le regardait, le visage décomposé, ses doigts se crispèrent sur son bras. Puis quelque chose dans son expression l'inquiéta, elle eut un léger recul.

— Quoi, qu'est-ce qu'il y a ? balbutia-t-elle.

— Vous désirez un conseil, madame ? C'est bien ce que vous me demandez ?

— Oui, oui !

— Eh bien, le voici. — Il parlait sèchement, d'un ton tranchant. — Quittez cet endroit immédiatement, avant qu'il ne soit trop tard.

— Que dites-vous ? — Elle le fixait intensément.

— Vous m'avez entendu ? Quittez l'île.

— Quitter l'île ? Mais pourquoi, pourquoi ?

— C'est le conseil que je vous donne, si vous tenez à la vie.

Elle poussa un cri étouffé.

— Oh ! Que voulez-vous dire ? Vous me faites peur, vous m'épouvantez.

Elle s'effondra, le visage enfoui dans ses mains.

— Mais je ne peux pas ! Il ne voudrait pas me suivre ! Douglas ne voudrait pas, elle ne le laisserait pas partir, elle s'est emparé de lui corps et âme. Il ne supporte pas qu'on dise un mot contre elle, il en est fou. Il croit tout ce qu'elle dit, que son mari la maltraite, qu'elle est une innocente victime, que personne ne l'a jamais comprise. Je ne compte plus pour lui, plus du tout, il désire que je lui rende sa liberté, que je divorce. Il croit qu'elle divorcera aussi pour l'épouser. Mais j'ai peur. Chantry ne la lâchera pas, il n'est pas homme à se laisser faire. Hier soir elle a montré son bras meurtri à Douglas en lui disant que son mari l'avait battue, et cela l'a rendu fou, Douglas est si chevaleresque. Oh, j'ai peur. Comment tout eela tournera-t-il ? Dites-moi ce que je dois faire !

Hercule Poirot regardait au-delà de la mer bleue les montagnes lointaines du continent asiatique.

— Je vous l'ai déjà dit. Quittez l'île avant qu'il ne soit trop tard.

Elle secoua la tête.

— Je ne puis pas, c'est impossible, à moins que Douglas...

Poirot soupira et haussa les épaules.

CHAPITRE IV

Hercule Poirot était assis sur la plage à côté de Paméla qui lui dit avec une visible délectation :

— Le trio marche à merveille ! Ils étaient assis de chaque côté d'elle hier soir et se regardaient de travers ! Chantry, qui avait beaucoup trop bu insultait positivement Douglas Gold. Celui-ci se conduisait très correctement et gardait son sang-froid. La Valentine était ravie, bien entendu, elle ronronnait comme la sale tigresse qu'elle est. Que va-t-il se passer à votre avis ?

Poirot hocha la tête.

— J'ai peur, j'ai très peur.

— Oh, nous sommes tous inquiets, dit hypocritement Miss Lyall. Mais cette affaire est de votre ressort, ou elle pourrait le devenir. Ne pouvez-vous rien faire ?

— J'ai déjà fait ce que je pouvais.

Miss Lyall se pencha vivement vers lui.

— Qu'avez-vous fait ? demanda-t-elle avec avidité.

— J'ai conseillé à Mrs Gold de quitter l'île avant qu'il ne soit trop tard.

— Oh ! vous croyez...

— Oui, mademoiselle.

— Ainsi c'est cela que vous redoutez ! dit lentement Paméla. Mais il ne pourrait pas, il ne ferait jamais une chose pareille, il est bien trop gentil. Tout cela est de la faute de cette femme Chantry. Il ne voudrait pas... commettre...

Elle s'interrompit et reprit à voix basse :

— Un crime. C'est cela, c'est bien le mot que vous avez dans l'esprit ?

— Il est dans l'esprit de quelqu'un, mademoiselle. Je puis vous l'affirmer.

Paméla frissonna.

— Je ne puis le croire, déclara-t-elle.

CHAPITRE V

La suite d'événements survenus dans la nuit du vingt-neuf octobre fut parfaitement claire.

Pour commencer il y eut une scène entre les deux hommes : Gold et Chantry. La voix de Chantry atteignit un diapason tel que ses derniers mots furent entendus par quatre personnes : le caissier à son comptoir, le gérant, le général Barnes et Paméla Lyall.

— Espèce de salopard, bougre de cochon, si vous croyez pouvoir me faire cela, vous vous trompez. Tant que je vivrai, Valentine restera ma femme.

Puis, il s'était précipité hors de l'hôtel, le visage blême de rage.

Ceci se passait avant dîner. Après le repas (personne ne sût comment cela s'était fait) une réconciliation eut lieu. Valentine demanda à Marjorie Gold de venir se promener en voiture avec elle au clair de lune, Paméla et Sarah les accompagnèrent. Gold et Chantry firent une partie de billard, après quoi ils rejoignirent Hercule Poirot et le général Barnes au salon.

Pour la première fois, Chantry montrait un visage souriant et paraissait de bonne humeur.

— Avez-vous fait une partie intéressante ? demanda le général ?

— Ce garçon est trop fort pour moi, répondit le capitaine de frégate ! Il a gagné en réussissant une série de quarante-six.

— Oh ! Il s'agit d'un simple coup de veine, je vous assure, riposta modestement Douglas Gold. Que voulez-vous prendre ? Je vais aller chercher un garçon.

— Un gin rose pour moi, merci.

— Et vous, général ?

— Merci, je prendrai un whisky-soda.

— Moi aussi. Et vous, monsieur Poirot ?

— Vous êtes très aimable. J'aimerais un sirop de cassis.

— Ah, une liqueur ! Je suppose qu'ils en ont ici ? Je n'en ai jamais entendu parler.

— Si, ils en ont, mais ce n'est pas une liqueur.

Douglas Gold se mit à rire.

— Cela me semble bizarre, mais à chaque homme son poison ! Je vais passer la commande.

Le capitaine Chantry s'assit. Bien que n'étant pas bavard de nature, il essayait visiblement d'être aimable.

— C'est curieux comme on s'habitue vite à vivre sans nouvelles, dit-il.

— Je ne puis dire que le *Continental Daily Mail,* vieux de quatre jours, me serve à grand-chose, répliqua le général. Evidemment on m'envoie le *Times* et le *Punch* chaque semaine mais ils mettent un temps infernal à arriver.

— Je me demande si nous aurons des élections générales à cause des incidents de Palestine ?

— Toute cette affaire a été bien mal conduite, déclara le général au moment où Douglas Gold revenait accompagné d'un garçon qui apportait les consommations.

Le général venait de commencer le récit d'une anecdote survenue aux Indes au cours de sa carrière militaire en 1905. Les deux Anglais l'écoutaient poliment, sans grand intérêt. Hercule Poirot sirotait son cassis.

Le général atteignait la conclusion amusante de son récit, saluée par ses auditeurs d'un rire déférent, lorsque les femmes parurent à la porte du salon. Toutes quatre semblaient d'humeur joyeuse et bavardaient avec animation.

— Tony chéri, c'était admirable, s'écria Valentine en s'asseyant dans un fauteuil à côté de son mari. Mrs. Gold a eu l'idée la plus merveilleuse en proposant cette promenade. Vous auriez tous dû venir !

— Voulez-vous boire quelque chose ? demanda Chantry.

Il regarda les autres d'un air interrogateur.

— Un gin rose pour moi, chéri, dit Valentine.

— Un gin au gingerbeer, dit Paméla.

— Un sidecar, dit Sarah.

— Entendu.

Chantry se leva et offrit son gin rose, qu'il n'avait pas touché, à sa femme.

— Buvez cela. J'en commanderai un autre pour moi. Que voulez-vous prendre, Mrs. Gold ?

Cette dernière qui, aidée de son mari, quittait son manteau, se retourna en souriant.

— Puis-je avoir une orangeade, s'il vous plaît ?

— Va pour l'orangeade.

Il se dirigea vers la porte. Mrs. Gold sourit à son mari.

— C'était si agréable, Douglas. Je regrette que vous ne soyez pas venu.

— Je le regrette aussi, nous referons cette promenade un autre soir si vous voulez ?

Ils échangèrent un sourire.

Valentine Chantry prit son verre de gin et l'avala d'un trait.

— Oh ! J'avais besoin de cela, dit-elle.

Douglas Gold alla déposer le manteau de Marjorie sur le divan. En revenant près du groupe, il s'écria soudain.

— Allô, que se passe-t-il ?

Valentine Chantry appuyée au dossier de son fauteuil, la main posée sur le cœur avait les lèvres toutes bleues.

— Je me sens... toute drôle...

Elle haletait et semblait sur le point de suffoquer.

Chantry, qui revenait, se précipita vers elle.

— Hello, Val, qu'avez-vous ?

— Je... je ne sais pas... ce verre... avait un drôle de goût...

— Le gin rose ?

Chantry se retourna brusquement, le visage ravagé et saisit Douglas Gold à l'épaule.

— C'était mon verre, Gold, que diable avez-vous mis dedans ?

Douglas Gold fixait le visage convulsé de Valentine. Il devint mortellement pâle.

— Je... je n'ai jamais...

Valentine Chantry s'écroula dans son fauteuil.

— Allez chercher un médecin, s'écria le général Barnes, vite !

Cinq minutes plus tard Valentine Chantry était morte...

CHAPITRE VI

Personne ne se baigna le lendemain matin. Paméla très pâle, vêtue d'une robe noire toute simple, saisit au passage Hercule Poirot dans le hall et l'entraîna dans le petit bureau réservé à la correspondance.

— C'est horrible, dit-elle, horrible ! Vous l'aviez dit, vous l'aviez prévu ! C'est un crime !

Il inclina gravement la tête.

— Oh ! s'écria-t-elle en frappant du pied. Vous auriez dû l'empêcher d'une manière ou d'une autre, cela aurait pu se faire !

— Comment ? demanda Poirot.

Elle resta interdite un instant.

— N'auriez-vous pas pu avertir quelqu'un... la police ?...

— Et lui dire quoi ? Qu'est-ce qu'il y avait à dire avant l'événement ? Que quelqu'un avait le crime en tête ? Je vous l'affirme, mon enfant, si un être humain est résolu à tuer un de ses semblables...

— Vous auriez pu avertir la victime, insista Paméla.

— Les avertissements sont parfois inutiles, répondit Poirot.

— Alors, dit lentement Paméla, vous auriez pu vous en prendre au meurtrier en lui montrant que vous connaissiez ses intentions.

Poirot eut un petit hochement de tête appréciateur.

— Oui, c'est une meilleure tactique. Mais en ce cas il faut tout de même compter avec le principal défaut du meurtrier.

— Quel est-il ?

— Sa suffisance ! Un criminel ne s'imagine jamais qu'il peut être pris.

— Mais c'est absurde, stupide, s'écria Paméla. Son plan était ridiculement enfantin. La police a arrêté immédiatement Douglas Gold hier soir.

— Oui, dit-il pensivement. Douglas Gold est un jeune homme très stupide.

— Dites d'une bêtise sans nom ! J'ai entendu dire qu'ils ont trouvé le reste du poison... quel est-il ?

— Un composé de strophantine, un poison pour le cœur.

— Il paraît qu'ils ont trouvé le reste dans la poche de son veston.

— C'est exact.

— Quelle idiotie ! s'écria Paméla. Il avait peut-être l'intention de s'en débarrasser, mais bouleversé en voyant qu'il s'était trompé de victime il a perdu la tête. Quelle scène cela ferait au théâtre ! L'amoureux mettant la strophantine dans le verre du mari, puis, au moment où son attention est attirée ailleurs, la femme buvant le liquide mortel... Songez à l'effroyable émotion de Douglas Gold lorsqu'en se retournant il s'aperçut qu'il avait tué sa bien-aimée...

Elle frissonna.

— ... votre triangle sur le sable, l'éternel trio ! Qui aurait pu penser que cela finirait ainsi !

— Je le craignais, murmura Poirot.

Paméla se tourna vers lui :

— Vous l'avez avertie, elle : Mrs. Gold. Pourquoi ne lui avez-vous rien dit à lui ?

— Vous voulez savoir pourquoi je n'ai pas mis en garde Douglas Gold ?

— Non. Je veux parler du capitaine Chantry. Vous auriez pu lui dire qu'il était en danger, après tout c'était lui le véritable obstacle ! Je ne doute pas que Douglas Gold avait la certitude de pouvoir forcer sa femme à lui accorder le divorce, c'est une petite femme douce, résignée et qui est follement éprise de lui. Mais Chantry est un homme terrible, entêté comme une mule, il était résolu à ne pas lâcher Valentine.

Poirot haussa les épaules.

— Cela n'aurait servi à rien que je parle à Chantry, dit-il.

— Peut-être, admit Paméla. Il vous aurait probablement envoyé au diable en vous disant de vous mêler de ce qui vous regarde. Mais je persiste à croire qu'on aurait pu faire quelque chose pour empêcher ce malheur.

— J'avais pensé, répondit Poirot, à essayer de persuader Valentine Chantry de quitter l'île, mais elle n'aurait jamais voulu croire ce que j'avais à lui dire. C'était une femme bien trop stupide pour comprendre une chose comme celle-là. Pauvre créature, c'est sa sottise qui l'a tuée.

— Je ne pense pas que cela aurait servi à grand'chose si elle était partie, dit Paméla. Il l'aurait suivie.

— Qui donc ?

— Douglas Gold.

— Vous pensez que Douglas Gold l'aurait suivie ? Oh non, mademoiselle, vous vous trompez. Vous ne vous êtes pas encore rendu compte que si Valentine Chantry avait quitté l'île son mari l'aurait suivie.

Paméla parut complexe.

— Mais... naturellement.

— Alors, voyez-vous, le crime aurait tout simplement eu lieu ailleurs.

— Je ne vous comprends pas.

— Je vous dis que le même crime aurait eu lieu ailleurs : car ce crime est l'assassinat de Valentine Chantry par son mari.

Paméla parut saisie.

— Voulez-vous dire que c'est le capitaine de frégate Tony Chantry qui a assassiné Valentine ?

— Oui. Vous l'avez vu faire ! Douglas Gold lui apporta son verre et le posa devant lui. Lorsque les femmes arrivèrent nous tournâmes tous nos regards vers la porte, Chantry avait la strophantine toute prête, et la jeta dans le verre qu'il offrit ensuite poliment à sa femme et celle-ci le but.

— Mais on a retrouvé le paquet de strophantine dans la poche de Douglas Gold !

— Il était très facile de l'y glisser pendant que nous étions tous rassemblés autour de la mourante.

Il fallut deux bonnes minutes à Paméla pour reprendre son souffle.

— Mais je n'y comprends rien ! Le trio, vous avez dit vous-même...

Hercule Poirot approuva d'un signe de tête vigoureux.

— J'ai parlé d'un trio, en effet. Mais vous avez fait erreur sur les personnes par suite d'une comédie très bien jouée ! Vous avez supposé, comme on voulait vous le faire admettre, que Tony Chantry et Douglas Gold étaient tous deux amoureux de Valentine Chantry. Vous avez cru, comme on voulait vous le faire croire, que Douglas Gold, follement épris de Valentine (à laquelle son mari refusait de rendre sa liberté), avait pris le parti désespéré d'administrer un poison mortel à Chantry et que, par suite d'une erreur fatale, Valentine but le poison à sa place. Tout ceci n'est qu'illusion. Chantry était décidé à se débarrasser de sa femme depuis un certain temps.

Elle l'assommait, je m'en suis aperçu dès le début. Il l'avait épousée pour son argent et il désire maintenant se marier avec une autre femme ; aussi avait-il décidé de se débarrasser de Valentine tout en conservant sa fortune. Cela impliquait un crime commis par un autre que lui.

— Une autre femme ?

— Mais oui, la petite Marjorie Gold. C'était bien l'éternel trio ! Mais vous l'aviez vu dans le mauvais sens. Aucun de ces deux hommes ne tenait réellement à Valentine Chantry. C'est sa vanité et la très habile comédie de Marjorie Gold qui vous l'a fait croire. Mrs. Gold est une femme très intelligente et singulièrement attirante avec son petit air de Sainte Nitouche, et de pauvre petite victime ! J'ai connu quatre criminelles du même genre : Mrs. Adams, qui a été acquittée du meurtre de son mari, bien que tout le monde la sût coupable, Mary Parker qui tua sa tante, un amoureux et deux frères avant de commettre une maladresse qui la fit pendre. Puis Mrs. Rowden, qui fut pendue à juste titre et Mrs. Lecray qui échappa de justesse au châtiment. Cette femme est exactement du même type, je m'en suis aperçu au premier coup d'œil ! Ce genre de femme est aussi à l'aise dans le crime que le poisson dans l'eau ! Et l'affaire a été très bien montée. Dites-moi donc quelles preuves valables vous avez eues que Douglas Gold était amoureux de Valentine Chantry ? Lorsque vous y réfléchirez, vous vous apercevrez qu'il n'y eut que les confidences de Mrs. Gold et l'explosion de jalousie de Chantry. Comprenez-vous ?

— C'est horrible ! s'écria Paméla.

— C'est deux habiles coquins, dit Poirot avec une sorte de détachement professionnel. Ils avaient projeté de se rencontrer ici et d'y organiser leur crime. Cette Marjorie Gold est un vrai démon sans cœur et sans pitié ! Elle aurait envoyé son pauvre innocent de mari à la potence sans le moindre remords.

Paméla bondit.

— Mais il a été arrêté hier soir !

— Oui, mais aussitôt après je suis allé dire quelques mots à la police. Il est vrai que je n'avais pas vu Chantry mettre la straphontine dans le verre. Comme tous les autres, j'ai regardé du côté de la porte quand les femmes sont entrées. Mais, dès l'instant où je me suis aperçu que Valentine Chantry était empoisonnée, j'ai guetté son mari sans le quitter des yeux un seul instant et je l'ai vu glisser le sachet de poison dans la poche de Douglas Gold...

Une sorte d'humour macabre transparut sur son visage.

— Je suis un bon témoin. Mon nom est connu. Dès que les policiers eurent entendu mon histoire, ils comprirent que cela donnait un tout autre aspect à l'affaire.

— Et alors ? demanda Paméla complètement fascinée.

— Eh bien, ils ont posé quelques questions au capitaine Chantry qui a essayé de le prendre de haut et de proférer des menaces, mais il n'est pas réellement intelligent et il s'effondra peu après.

— De sorte que Douglas Gold est libéré ?

— Oui.

— Et Marjorie Gold ?

Le visage de Poirot se fit de pierre.

— Je l'avais prévenue, dit-il. Oui, là-haut, sur la montagne du Prophète. C'était la seule chance d'éviter le crime. Je lui laissai entendre que je la soupçonnais. Elle comprit, mais elle se croyait trop habile. Je lui ai dit qu'elle devait quitter l'île si elle tenait à la vie. Elle a choisi de rester.

TRADUIT DE L'ANGLAIS PAR PERRINE VERNAY

LE RÊVE

(The Dream)

Hercule Poirot apprécia la maison d'un coup d'œil. Puis, son regard balaya les environs, les magasins, la grande usine à droite, les immeubles à appartements minables en face.

Northway House était un vestige des temps passés, époque des loisirs. Autrefois, elle se dressait, arrogante, au milieu des champs. Maintenant, anachronique, les flots du Londres moderne la submergeaient.

Rares étaient ceux qui auraient pu dire qui l'habitait. Et, cependant, son propriétaire était l'un des hommes les plus riches du globe. Mais l'argent peut aussi bien éteindre la publicité que l'allumer. Benedict Farley, le milliardaire excentrique, avait choisi de ne pas révéler son adresse. On le voyait lui-même rarement en public.

De temps à autre, il se montrait dans des conseils d'administration, dominant de sa haute silhouette maigre, de son nez crochu et de sa voix coupante, les autres directeurs.

A part cela, c'était une figure de légende. De lui, on connaissait quelques détails : son extrême générosité, l'invariabilité de son régime composé de soupe aux choux et de caviar, sa haine des chats et sa fidélité à certaine robe de chambre, faite de pièces assemblées, et vieille, disait-on, de vingt-huit ans.

Hercule Poirot savait cela, mais rien d'autre de l'homme qui attendait sa visite.

Après deux minutes consacrées à l'étude de ce paysage mélancolique, il se dirigea vers le perron qu'il gravit et pressa la bouton de sonnette. Un coup d'œil à sa nouvelle montre-bracelet — qui avait détrôné la montre de gousset de sa jeunesse — lui apprit qu'il était neuf heures trente, très précises.

La porte s'ouvrit sur le spécimen du parfait maître d'hôtel se découpant sur le fond éclairé du hall d'entrée.

— Mr. Benedict Farley ? demanda Poirot.

« En gros et en détail », songea le détective soumis de la tête au pied à un coup d'œil appréciateur.

— Vous avez un rendez-vous, monsieur ? demanda le maître d'hôtel d'une voix suave.

— Oui.

— A quel nom, monsieur ?

— Hercule Poirot.

Le domestique s'inclina, livra passage au détective et referma la porte derrière lui.

— Monsieur voudra bien m'excuser, dit-il en débarrassant le visiteur de sa canne et de son chapeau, mais il me faut lui demander une lettre.

Sans hésiter, Poirot la sortit de sa poche et la tendit. Le maître d'hôtel y jeta un simple coup d'œil et la rendit à son propriétaire qui la remit dans sa poche. La lettre disait ceci :

> *Northway House, mercredi 8*
> « *Mr. Hercule Poirot,*
>
> *Cher Monsieur,*
>
> « *Mr. Benedict Farley voudrait profiter de vos avis. Si cela vous convient, il serait heureux que vous vous rendiez à l'adresse ci-dessus, à 9 h 30, demain soir (jeudi).* »
>
> *Votre dévoué.*
> *Hugo Cornworthy*
> *(Secrétaire)*
>
> « *P.S. — Prenez s'il vous plaît, cette lettre sur vous.* »

— Monsieur veut-il me suivre jusqu'au bureau de Mr. Cornworthy ?

Le domestique se dirigea vers le vaste escalier. Poirot admira au passage la profusion d'objets d'art.

Au premier étage, le maître d'hôtel frappa à une porte.

Hercule Poirot leva les sourcils, étonné. Un domestique très stylé ne frappe pas aux portes et ce maître d'hôtel était, sans conteste, de grand style.

Premier contact avec l'excentricité d'un milliardaire.

De l'intérieur, une voix cria quelque chose. Le domestique ouvrit la porte :

— La personne que vous attendiez, monsieur.

Et, là encore, Poirot nota l'absence d'étiquette.

La pièce dans laquelle le détective pénétra était spacieuse, meublée de façon très simple, masculine. Des classeurs, des dossiers, deux fauteuils, un bureau imposant couvert de papiers rangés avec soin.

La seule lumière émanait d'une lampe à abat-jour vert posée sur une petite table, à côté d'un fauteuil. Elle laissait les coins de la pièce dans l'ombre mais éclairait en plein quiconque franchissait le seuil. Le détective cilla légèrement. L'ampoule était d'au moins cent cinquante watts.

Une mince silhouette, enveloppée d'une robe de chambre rapiécée, occupait le fauteuil. C'était Benedict Farley. Il avait la tête penchée en avant, son nez crochu rappelait un bec d'oiseau. Une crête de cheveux blancs, comme une huppe de cacatoès, lui ornait le chef. L'œil brillant derrière le verre épais de ses lunettes, il examinait son visiteur d'un air soupçonneux.

— Hein ! dit-il enfin d'une voix perçante, désagréable. Vous êtes Hercule Poirot, hein ?

— A votre service, répondit aimablement le détective qui s'inclina, une main sur le dossier d'une chaise.

— Asseyez-vous, asseyez-vous, dit le vieil homme avec impatience.

Le détective prit possession du siège, en pleine lumière. Le vieillard l'étudiait avec attention.

— Et comment puis-je savoir que vous êtes Hercule Poirot. Hein ? demanda-t-il d'un ton grognon. Pouvez-vous me le dire, hein ?

Une fois encore Poirot sortit la lettre de sa poche et la tendit à Farley.

— Oui, admit celui-ci de mauvaise grâce. C'est ce que j'ai demandé à Cornworthy d'écrire.

Il la replia et la lui rendit.

— Ainsi, c'est vous l'homme ?

Le détective eut, de la main, un geste léger.

— Je puis vous assurer que vous ne serez pas déçu.

Benedict Farley gloussa soudain.

— C'est ce que dit le prestidigitateur quand il va sortir le lapin du chapeau ! Ça fait partie du truc !

Poirot ne répondit pas.

— Vous me prenez pour un vieux soupçonneux, n'est-ce pas ? Je le suis. Ne faites confiance à personne ! Peut-on, lorsqu'on est riche, accorder sa confiance à quelqu'un ? Non, non, impossible.

— Vous désiriez me consulter ? demanda doucement le détective.

Le vieillard acquiesça :

— C'est exact. Acheter ce qu'il y a de mieux. Consulter un expert et ne pas regarder à la dépense, c'est mon principe. Vous remarquerez, monsieur Poirot, que je ne vous ai pas demandé le montant de vos honoraires. Et je ne le ferai pas ! Vous m'enverrez votre note plus tard. Je n'y regarderai pas. On ne me fera pas payer un œuf plus cher qu'il ne vaut sur le marché, mais je sais reconnaître le prix d'une marchandise de qualité, comme vous. J'en suis une, moi-même.

Hercule Poirot ne répliqua rien. Il écoutait avec attention, la tête un peu penchée.

Il restait impassible, mais se sentait déçu, sans savoir au juste pourquoi. Benedict Farley s'était montré sous le jour qu'on connaissait et cependant le détective était désappointé.

« Cet homme, se dit-il avec mépris, est un saltimbanque, rien d'autre ! »

Il avait connu d'autres milliardaires excentriques eux aussi, mais presque chaque fois il avait été conscient d'une énergie latente, d'une force qui commandait le respect. Ils auraient porté une vieille robe de chambre par goût. Celle de Benedict Farley semblait au détective un accessoire de théâtre. L'homme lui-même paraissait occuper la scène. Chaque mot avait l'air de vouloir « passer la rampe ».

— Vous souhaitez me consulter, monsieur ? répéta le détective.

Brusquement les manières de Farley changèrent. Il se pencha en avant, sa voix se fit presque inaudible.

— Oui, oui... j'ai envie d'entendre ce que vous avez à dire, ce que vous pensez. Le meilleur ! Je m'y tiens ! Le meilleur médecin, le meilleur détective et c'est entre les deux !

— Je ne vous comprends pas.

— Naturellement, jeta Farley. Je n'ai pas commencé à m'expliquer. Que savez-vous des rêves, monsieur Poirot ?

De surprise, le détective plissa le front. Quoi qu'il ait attendu, ce n'était pas cela.

— Je vous recommanderai, monsieur « Le Livre des Rêves » de Napoléon ou les psychologues de Harley Street.

— J'ai essayé les deux, répondit Benedict Farley.

Il y eut un silence et le milliardaire reprit, dans un souffle, d'abord, puis de plus en plus haut :

— Le même rêve, chaque nuit. Et j'ai peur, je vous le dis, j'ai peur. C'est toujours la même chose. Je suis assis dans mon bureau, à côté, j'écris. Je regarde la pendule qui marque exactement trois heures vingt-huit. L'heure ne varie jamais.

« Et à ce moment, monsieur Poirot, je sais qu'il me faut le faire. Je ne le veux pas... je lutte contre moi-même... mais il le faut...

Il avait presque crié les derniers mots.

— Et de quoi s'agit-il ? demanda Poirot, imperturbable.

— A trois heures vingt-huit, j'ouvre le deuxième tiroir à droite de mon bureau, j'en sors le revolver qui s'y trouve, je le charge, je m'approche de la fenêtre. Et puis... ensuite...

— Oui ?

— Je me tue... murmura le milliardaire.

Le silence tomba.

— C'est cela votre rêve ? dit enfin le détective.

— Oui.

— Le même chaque nuit ?

— Oui.

— Et qu'arrive-t-il après que vous ayez tiré ?

— Je m'éveille.

Poirot hocha la tête, pensif.

— Et vous avez un revolver dans le tiroir dont vous m'avez parlé ?

— Oui.

— Pourquoi ?

— Je l'ai toujours eu à cet endroit. Autant être prêt.

— A quoi ?

— Un homme, dans ma position, doit être sur ses gardes, dit Farley, irrité. Tous les hommes riches ont des ennemis.

Poirot n'insista pas.

— Pourquoi m'avez-vous fait venir ? demanda-t-il au bout de quelques minutes de silence.

— Je vais vous le dire. J'ai d'abord consulté un médecin, trois médecins, pour être exact.

— Alors ?

— Le premier m'a dit que c'était une question de régime. C'était un vieux type. Le second, un jeune de l'école moderne, m'a assuré que tout cela était en relation avec certain événement de ma prime jeunesse, arrivé à trois heures vingt-huit. Je suis, m'a-t-il dit, déterminé à ne pas me souvenir de cet événement, et je symbolise ce refus par un suicide. Voilà l'explication.

— Et celle du troisième ? demanda Poirot.

Benedict Farley éleva la voix avec rage.

— Un jeune, celui-là aussi. Sa théorie est ridicule. Il affirme que je suis fatigué de la vie, qu'elle m'est devenue si insupportable que j'y mets fin délibérément ! Mais accepter ce fait serait avouer que mon existence est une faillite et je refuse, à l'état de veille, de faire face à la vérité. Quand je dors, toutes mes inhibitions s'effacent et j'agis comme je le souhaite. Je mets fin à mes jours.

— Il prétend, qu'inconsciemment, vous souhaitez vous suicider ? dit Poirot.

— Et c'est impossible ! Impossible ! s'exclama Farley. J'ai tout ce que je désire, tout ce que l'on a avec de l'argent ! C'est fantaisiste, inconcevable !

Poirot le regarda avec intérêt. Peut-être quelque chose dans le tremblement des mains, le ton aigu de la voix, l'avertit-il que cette protestation était trop véhémente, que cette insistance était suspecte, en soi.

— Et que viens-je faire là-dedans, monsieur ? se contenta-t-il de demander.

Benedict Farley se calma brusquement. Il tapota la table, à ses côtés.

— Il y a une autre possibilité, si elle est exacte, vous êtes celui qui pourra le reconnaître ! Vous êtes célèbre, vous avez eu à vous occuper d'affaires extraordinaires, incroyables. Vous saurez !

— Quoi ?

— Admettons que quelqu'un veuille me tuer, murmura Farley. Le pourrait-on de cette façon ? Pourrait-on me faire rêver chaque nuit de la même façon.

— Vous pensez à l'hypnotisme ?

— Oui.

Hercule Poirot réfléchit.

— Ce serait possible, sans dou... ...lit-il. Cette question est surtout du domaine médical.

— Vous n'avez jamais eu de cas se...bles ?

— Pas précisément, non.

— Voyez-vous à quoi je suis entraîné... ...n me force à rêver la même chose, c'en est trop pour moi e... ...is réellement. Je fais ce que j'ai si souvent rêvé... je me tue !

Poirot secoua la tête.

— Vous ne croyez pas cela possible ?

— Possible ? Voici un mot que je ne me... ...que pas à employer.

— Mais vous jugez cela improbable.

— Très improbable.

— Le médecin le prétend aussi, murmura Farl... Mais alors, pourquoi fais-je ce rêve ! s'écria-t-il. Pourquoi ?

Hercule Poirot hocha la tête.

— Etes-vous sûr de n'avoir jamais connu un cas sembla... demanda brusquement le détective.

— Absolument.

— C'est ce que je voulais savoir ; me permettez-vous une question ? demanda Poirot discrètement.

— Laquelle ? Laquelle ? dites ce que vous voulez.

— Qui désire vous tuer ?

— Personne. Absolument personne.

— Mais, cette idée vous est venue ? insista Poirot.

— J'ai désiré savoir s'il y avait une possibilité.

— Au fait, vous a-t-on hynoptisé ?

— Evidemment pas. Croyez-vous que je me livrerais à des singeries pareilles ?

— Alors, je crois pouvoir déclarer votre théorie définitivement improbable.

— Mais ce rêve, bougre de... ce rêve !

— Il est en effet remarquable, reconnut Poirot, songeur. J'aimerais voir la scène du drame : la table, la pendule, et le revolver.

— Bien sûr. Je vais vous conduire à côté.

— Serrant les pans de sa robe de chambre sur lui, le vieillard se leva à demi. Puis, brusquement, il se rassit.

— Non. Il n'y a rien à voir là-dedans. Je vous ai dit tout ce qu'il y avait à dire.

— Mais j'aimerais me rendre compte moi-même...

— C'est inutile, coupa Farley. Vous m'avez donné votre opinion. Cela suffit.

Poirot haussa les épaules :

— A votre aise. Il se leva. Je suis désolé, monsieur, de n'avoir pu vous aider.

Benedict Farley regardait droit devant lui.

— Inutile de tourner autour du pot, grommela-t-il. Je vous ai exposé les faits, vous n'avez rien pu en tirer. Cela clôt le débat. Vous m'enverrez le montant de vos honoraires.

— Je n'y manquerai pas, rétorqua le détective sèchement. Puis il se dirigea vers la porte.

— Une minute ! dit le milliardaire. Cette lettre, je la veux.

— Celle de votre secrétaire ?

— Oui.

Poirot surpris, plongea la main dans sa poche, en sortit une feuille de papier pliée qu'il tendit à Farley. Celui-ci la regarda et la posa sur la table à côté de lui.

Une fois de plus Hercule Poirot se dirigea vers la porte, l'esprit préoccupé par le problème qui venait de lui être soumis. Mais au milieu de ses préoccupations, une curieuse sensation de malaise prédominait.

Brusquement, la main sur la poignée de la porte, il comprit que lui, Hercule Poirot, venait de commettre une erreur ! Il fit de nouveau demi-tour.

— Je vous demande mille fois pardon ! Absorbé par vos révélations, je me suis trompé ! Cette lettre que je viens de vous donner, par inadvertance, je l'ai prise dans ma poche droite au lieu de la gauche...

— Qu'est-ce que cela signifie ?

— Cette lettre exprime les excuses de ma blanchisseuse quant au traitement qu'elle inflige à mes cols. — Poirot eut un sourire contrit. — La vôtre, la voici.

Benedict Farley la lui arracha des mains, grogna :

— Que diable ! Ne pouvez-vous pas faire attention à ce que vous faites !

Poirot récupéra la correspondance de sa blanchisseuse, réitéra ses excuses avec grâce et sortit.

Il s'arrêta un instant sur le palier. Il était de vastes

dimensions. Juste en face de lui se trouvait une longue banquette de chêne devant une table de réfectoire supportant une pile de revues. Un peu plus loin, deux fauteuils et une console avec un vase de fleurs. Cet ameublement lui rappelait un peu le salon d'attente chez un dentiste.

Le maître d'hôtel l'attendait dans le hall d'entrée.

— Dois-je appeler un taxi, monsieur ?

— Non, merci. Il fait beau, je préfère marcher.

Hercule Poirot laissa le flot de voitures s'écouler avant de se risquer à traverser la rue.

Un pli de contrariété lui barrait le front.

« Non, songeait-il ; je n'y comprends rien. Cela ne veut rien dire. C'est regrettable à admettre, mais, moi, Hercule Poirot, je suis confondu. »

Ce fut là ce que l'on peut désigner comme le premier acte du drame. Le second eut lieu la semaine suivante. Il débuta par un coup de téléphone de John Stillingfleet, docteur en médecine.

— C'est vous, Poirot, vieux cheval ? dit-il aimablement. Ici Stillingfleet.

— Oui, mon ami. Qu'y a-t-il ?

— Je vous parle depuis Northway House, chez Benedict Farley.

— Ah, oui, que se passe-t-il ? Mr. Farley ?

— Il est mort. Il s'est tué cet après-midi.

— Oui... dit Poirot après une seconde de silence.

— Vous ne semblez pas particulièrement surpris. Vous êtes au courant de quelque chose, vieux cheval ?

— Qui vous le fait croire ?

— Ce n'est pas à la suite d'une brillante déduction ou par télépathie. Nous avons trouvé un billet de Farley vous fixant un rendez-vous, il y a une semaine.

— Je vois.

— Par mesure de prudence — on ne sait jamais quand un de ces types cousus d'or se font sauter le caisson — nous avons fait venir un inspecteur de police. Je me demande si vous pourriez jeter un peu de lumière sur l'affaire ? Peut-on vous voir ? dans les parages ?

— J'arrive tout de suite.

— Ça, c'est chic, mon vieux.

— Un quart d'heure plus tard, Poirot était installé dans la bibliothèque, une longue pièce située au rez-de-chaussée de

Northway House. Cinq autres personnes l'entouraient. L'inspecteur Barnett, le Dr. Stillingfleet, Mrs. Farley, veuve du milliardaire, Joanna Farley, sa fille unique et Hugo Cornworthy, son secrétaire particulier.

Barnett était d'aspect discrètement militaire ; Stillingfleet, dont les manières ne ressemblaient pas à son style téléphonique, avait une trentaine d'années, le visage long.

Mrs. Farley, de toute évidence beaucoup plus jeune que son mari, était une jolie femme aux cheveux sombres. Sa bouche montrait un pli dur et ses yeux noirs ne livraient rien de ses émotions. Elle semblait très maîtresse d'elle-même. Joanna Farley, une blonde avec des taches de rousseur ; son nez et son menton étaient un héritage paternel ; son regard était intelligent et vif. Hugo Cornworthy, jeune et séduisant, savait s'habiller. Il semblait, lui aussi, intelligent.

Les présentations faites, Poirot narra avec simplicité et netteté les circonstances de sa première visite et l'histoire racontée par Benedict Farley. On l'écouta avec une attention flatteuse.

— C'est bien le récit le plus extraordinaire que j'aie jamais entendu ! dit l'inspecteur. Un rêve, hein ? En saviez-vous quelque chose, Madame ?

Elle inclina la tête.

— Mon mari m'en a parlé. Cela l'avait bouleversé. Je lui ai dit que c'était une question de digestion, son régime, vous le savez, était très particulier, je lui ai conseillé de voir le docteur Stillingfleet.

— Il ne m'a pas consulté, dit le jeune médecin.

— J'aimerais votre avis sur ce point, docteur, dit le détective. Mr. Farley m'a avoué avoir consulté trois spécialistes. Que pensez-vous de leurs théories ?

Stillingfleet fronça les sourcils.

— C'est difficile à dire. Il faut admettre qu'il ne vous a pas raconté exactement ce qui lui avait été dit.

— Vous prétendez qu'il n'a pas compris ?

— Pas absolument. On lui a fait des exposés en termes techniques qui l'ont un peu désarmé et il vous les a resservis dans sa propre langue.

— Donc, ce qu'il m'a raconté ne correspondait pas tout à fait à la vérité.

— Il a un peu déformé les faits, si vous voulez.

— Sait-on qui il a consulté ? demanda le détective.

Mrs. Farley secoua la tête et Joanna remarqua :

— Aucun d'entre nous n'a jamais su qu'il eût consulté un médecin quelconque.

— Vous a-t-il parlé à vous, de ce rêve ? mademoiselle.

La jeune fille fit un signe négatif.

— Et à vous, Mr. Cornworthy ?

— Non. J'ai pris sous sa dictée une lettre à votre intention, mais j'ignorais pourquoi il voulait vous voir. Je pensais que cela avait trait à quelque irrégularité commerciale.

— Et quant aux circonstances de la mort de Mr. Farley ?

L'inspecteur Barnett, après un regard interrogateur à Mrs. Farley et au médecin, se fit leur porte-parole.

Mr. Farley travaillait dans son bureau du premier étage, chaque après-midi. Il avait, je crois, une affaire en perspective...

— Les « Transports Réunis », expliqua le secrétaire. Mr. Farley s'était montré d'accord pour recevoir deux membres de la presse, concession exceptionnelle de sa part, qui n'a eu qu'un précédent en cinq ans, je crois. Les deux journalistes, arrivés à trois heures et quart, comme convenu, attendirent sur le palier du premier étage, en face du bureau de Mr. Farley.

A trois heures vingt, un messager des « Transports Réunis » se présenta, porteur de papiers urgents. On l'introduisit dans le bureau de Mr. Farley où il remit ses documents. Mr. Farley le raccompagna à la porte et, du seuil, s'adressa aux deux journalistes :

« Je suis désolé, messieurs, de vous faire attendre, mais je dois m'occuper d'une affaire très pressée. Je vais faire au plus vite. »

Les deux journalistes, Mr. Adam et Mr. Stoddart, s'inclinèrent de bonne grâce. Il retourna dans son bureau, ferma la porte... et nul ne le revit vivant !

— Continuez, dit Poirot.

— Un peu après quatre heures, poursuivit l'inspecteur, Mr. Cornworthy sortit de son bureau qui avoisine celui de Mr. Farley et fut surpris de voir les journalistes attendre toujours. Il voulait la signature de son patron sur une lettre et pensa aussi à lui rappeler la présence de ses visiteurs.

« Il pénétra dans le bureau et crut tout d'abord que la pièce était vide. Puis, il aperçut une chaussure, derrière le bureau (celui-ci est placé devant la fenêtre). Il fit rapidement le tour du meuble et découvrit le cadavre de Mr. Farley, un revolver à ses côtés.

« M. Cornworthy se précipita hors de la pièce et ordonna au maître d'hôtel de téléphoner au docteur Stillingfleet qui suggéra d'appeler la police.

— A-t-on entendu la détonation ? demanda Poirot.

— Non. La circulation est intense, ici, et les fenêtres étaient ouvertes. Avec le bruit des moteurs, cela aurait passé inaperçu.

Poirot demanda :

— A quelle heure pense-t-on qu'il soit mort ?

— J'ai examiné le corps, dit le médecin, dès mon arrivée, c'est-à-dire à quatre heures trente-deux. Le décès remontait à au moins une heure.

— Donc, dit le détective, très grave, il se pourrait que la mort se soit produite à trois heures vingt-huit !

— Possible, approuva Stillingfleet.

— Des empreintes, sur l'arme ?

— Celles du mort.

— Et le revolver lui-même ?

L'inspecteur reprit la parole :

— C'était celui qu'il gardait dans le tiroir de son bureau, comme il vous l'a dit. Mrs. Farley l'a formellement identifié. D'autre part, il n'y a qu'une entrée au bureau, la porte donnant sur le palier. Les deux journalistes y faisaient face et jurent que personne ne l'a passée depuis le moment où Mr. Farley leur a parlé et celui où Mr. Cornworthy a pénétré dans la pièce, un peu après quatre heures.

— Donc, tout porte à croire que Mr. Farley s'est suicidé ?

L'inspecteur eut un léger sourire.

— Il n'y aurait aucun doute sans un détail.

— Lequel ?

— La lettre qui vous a été écrite.

Poirot sourit à son tour.

— Je vois ! où il est question d'Hercule Poirot, on songe immédiatement au crime !

— Précisément, reconnut l'inspecteur avec sécheresse. Mais à présent que vous avez éclairé la situation...

Poirot l'interrompit :

— Une petite minute, madame. Votre mari a-t-il jamais été hypnotisé ?

— Jamais.

— A-t-il étudié cette question ? Ce sujet l'intéressait-il ?

Elle secoua la tête.

— Je ne le crois pas.

Brusquement, elle parut perdre sa maîtrise :

— Cet horrible rêve ! C'est affreux ! Penser qu'il a pu rêver la même chose chaque nuit... et ensuite... c'est comme s'il avait été poussé à la mort !

Poirot se souvenait des paroles de Benedict Farley. « J'en arrive à faire ce que je souhaite vraiment. Je mets fin à mes jours. »

— Avez-vous remarqué que votre mari ait pu être tenté de se tuer ?

— Non... du moins... il était parfois très étrange...

La voix de Joanna Farley intervint, claire, mécontente :

— Père ne se serait jamais suicidé. Il faisait beaucoup trop attention à lui.

— Ce ne sont pas toujours les gens qui menacent de se suicider qui le font, mademoiselle, fit remarquer le médecin. C'est pourquoi cela paraît souvent extraordinaire.

Poirot se leva.

— M'autorise-ton à voir la pièce où se déroula la tragédie ? demanda-t-il.

— Certainement. Docteur, s'il vous plaît ?

Le médecin accompagna Poirot au premier étage.

Le bureau de Benedict Farley était beaucoup plus grand que celui du secrétaire, à côté, luxueusement meublé de fauteuils recouverts de cuir, d'un magnifique tapis et d'une table de travail de dimensions peu usuelles.

Poirot passa derrière ce meuble. Une large tache assombrissait le tapis, devant la fenêtre.

Il hocha la tête, lentement.

— La fenêtre était ouverte, comme cela ? demanda-t-il.

— Oui. Mais personne n'aurait pu entrer par là. Poirot se pencha à l'extérieur. Aucun rebord, aucune corniche, aucun tuyau. Même un chat n'aurait pu escalader la façade. En face, se dressait le mur aveugle de l'usine que ne perçait aucune imposte.

— Drôle d'idée pour un homme aussi riche, fit remarquer le

médecin, que de choisir comme sanctuaire une pièce donnant sur un paysage pareil. On dirait un mur de prison.

— Oui, dit Poirot en regardant l'épaisse façade de briques nues. Je pense que ce mur a son importance.

Stillingfleet eut l'air surpris.

— Vous voulez dire psychologiquement ?

Poirot avait déplacé le bureau. Négligemment, semble-t-il, il prit une paire de grandes pinces pliantes, s'en servit pour ramasser à côté d'une chaise un bout d'allumette brûlée et le laissa tomber dans la corbeille à papiers.

— Quand vous aurez fini de vous amuser, dit le médecin irrité.

— Une invention ingénieuse, murmura le détective en replaçant la pince sur le bureau.

Où se trouvaient Mrs. et Miss Farley à l'heure de la mort ? demanda-t-il.

— Mrs. Farley était chez elle, à l'étage au-dessus. Miss Farley peignait dans son atelier tout en haut de la maison.

Durant quelques secondes, le détective tambourina du bout des doigts sur la table, puis :

— J'aimerais parler à Miss Farley. Croyez-vous pouvoir lui demander de monter une minute ?

— Si vous le voulez dit Stillingfleet qui le regarda avec curiosité et quitta la pièce.

Joanna Farley arriva presque aussitôt.

— Verriez-vous un inconvénient, mademoiselle, à ce que je vous pose quelques questions ?

— Demandez-moi ce que vous voulez.

— Saviez-vous que votre père avait un revolver dans son bureau ?

— Non.

— Où étiez-vous, vous et votre mère, c'est-à-dire votre belle-mère, je crois ?

— Oui. Louise est la seconde femme de mon père. Elle a seulement huit ans de plus que moi. Que vouliez-vous dire ?

— Où étiez-vous, jeudi dernier, dans la soirée ?

Elle réfléchit.

— Jeudi ? Attendez un peu. Ah, oui, nous sommes allées au théâtre voir « Le Petit Chien qui rit ».

— Votre père ne vous a pas proposé de vous accompagner ?

— Il n'allait jamais au théâtre.

— Que faisait-il, le soir, en général ?

— Il lisait. Ici.

— Il n'était pas très sociable ?

La jeune fille le regarda droit dans les yeux.

— Mon père avait un caractère très déplaisant. Aucun de ceux qui vivaient auprès de lui ne pouvait vraiment l'aimer.

— C'est là, mademoiselle, une déclaration bien imprudente.

— Je vous fais gagner du temps. M. Poirot, je comprends très bien où vous voulez en venir. Ma belle-mère a épousé mon père pour son argent. Je vis ici car je n'ai pas d'argent pour vivre ailleurs.

«Je connais quelqu'un que je souhaite épouser. Il est pauvre. Mon père a fait en sorte qu'il perde sa situation. Il voulait, voyez-vous, me voir bien mariée. Chose facile, puisque je suis son héritière !

— La fortune de votre père vous revient ?

— Oui. C'est-à-dire qu'il laisse à ma belle-mère un quart de million de livres, libre de taxes. Il y a quelques autres legs, mais le principal me revient — elle sourit soudain. Comme vous le voyez, j'avais toutes les raisons de souhaiter la mort de mon père !

— Je constate, mademoiselle, que vous en avez hérité aussi l'intelligence.

— Père était intelligent, dit-elle pensive. On sentait la force en lui, la puissance directrice, mais tout sentiment d'humanité l'avait quitté.

— Grand Dieu ! dit Poirot doucement. Mais quel imbécile suis-je...

— Quelque chose encore ? demanda Joanna Farley.

— Deux petites questions : ces pinces, ici — il indiqua les pinces pliantes — étaient-elles toujours sur cette table ?

— Oui. Père s'en servait pour ramasser des objets. Il n'aimait pas se pencher.

— Votre père avait-il une bonne vue ?

Elle le regarda avec attention.

— Oh, non, il ne voyait rien, sans ses verres, depuis son plus jeune âge.

— Et avec ses lunettes ?

— Il y voyait parfaitement, bien sûr.

— Il pouvait lire un journal et des petits caractères ?

— Oh, oui.

— Ce sera tout, mademoiselle. Merci.

Elle sortit.

« J'ai été stupide, murmura Poirot. C'était là tout le temps, sous mon nez. Si proche que je n'en ai rien vu. »

Il se pencha à la fenêtre une fois de plus. En bas, dans l'étroit passage entre la maison et l'usine il aperçut un objet sombre de petite taille.

Satisfait, Poirot redescendit.

Les autres étaient toujours dans la bibliothèque. Poirot s'adressa au secrétaire.

— Voulez-vous, je vous prie, me raconter en détails les circonstances exactes de la façon dont Mr. Farley m'a convoqué. Quand, par exemple, a-t-il dicté la lettre ?

— Mercredi après-midi, à cinq heures trente, autant que je m'en souvienne.

— Vous a-t-il donné des instructions spéciales quant à la façon de la poster ?

— Il m'a dit de la mettre moi-même à la boîte.

— Ce que vous fîtes ?

— Oui.

— Donna-t-il également des instructions particulières au maître d'hôtel quant à la façon de me recevoir ?

— Oui. Il m'a chargé de dire à Holmes (c'est le maître d'hôtel) qu'un monsieur viendrait à neuf heures trente. Il aurait à demander à ce monsieur de dire son nom et de lui montrer la lettre.

— Précaution plutôt curieuse, ne trouvez-vous pas ?

Cornworthy haussa les épaules.

— Mr. Farley, dit-il, était lui-même un homme curieux.

— D'autres recommandations ?

— Oui. Il m'a donné congé pour la soirée.

— En avez-vous profité ?

— Oui. Tout de suite après le dîner, je suis allé au cinéma.

— Quand êtes-vous revenu ?

— A onze heures et quart.

— Avez-vous revu Mr. Farley, ce soir-là ?

— Non.

— Et il ne mentionna pas ma visite le lendemain ?

— Non.

Poirot observa un silence de quelques instants.

— A mon arrivée, on ne m'a pas introduit dans le bureau de Mr. Farley, reprit-il.

— Non. Il m'avait chargé de dire à Holmes de vous faire entrer dans mon bureau personnel.

— Pourquoi ? Le savez-vous ?

Cornworthy secoua la tête.

— Je n'ai jamais discuté un ordre de Mr. Farley, dit-il sèchement. Cela lui aurait déplu.

— Recevait-il, généralement, des visiteurs dans son bureau ?

— En général, mais pas toujours. Parfois, il se servait du mien.

— Pour quelle raison ?

Hugo Cornworthy réfléchit.

— Je ne vois pas... je n'y ai jamais songé.

Poirot se tourna vers Mrs. Farley.

— M'autorisez-vous à sonner votre maître d'hôtel ?

— Mais certainement.

Holmes répondit à l'appel, très correct.

— Madame a sonné ?

Sa maîtresse indiqua Poirot du geste. Holmes le regarda, interrogateur :

— Monsieur ?

— Quelles étaient vos instructions, Holmes, pour le mercredi soir, lorsque je suis venu ?

Holmes toussota.

— Après dîner, dit-il, Mr. Cornworthy me prévint que monsieur attendait un M. Hercule Poirot à neuf heures trente. Je devais m'assurer du nom de ce monsieur, demander à voir une lettre, pour vérification, et introduire ce monsieur dans le bureau de Mr. Cornworthy.

— Vous avait-on également dit de frapper à la porte ?

Une expression de mépris passa sur la visage impassible du domestique.

— C'était sur l'ordre de Monsieur. Il me fallait toujours frapper avant d'annoncer un visiteur, venu pour affaire, ajouta-t-il.

— Et cela m'a surpris. Vous a-t-on donné d'autres instructions me concernant ?

— Non, monsieur, Mr. Corworthy est sorti après m'avoir dit ce que je viens de vous répéter.

— Quelle heure était-il ?

— Neuf heures moins dix, monsieur.

— Avez-vous vu Mr. Farley après cela ?

— Oui, monsieur. Je lui ai porté un verre d'eau chaude à neuf heures, comme d'habitude.

— Se trouvait-il dans le bureau de Mr. Cornworthy ?

— Non, monsieur, dans le sien.

— Avez-vous remarqué quelque chose d'inhabituel dans la pièce ?

— Non, monsieur.

— Où étaient Mrs. et Miss Farley ?

— Au théâtre, monsieur.

— Merci Holmes, cela suffira.

Le maître d'hôtel s'inclina et sortit. Poirot se tourna vers la veuve du milliardaire.

— Votre mari avait-il une bonne vue, madame ?

— Non, pas sans ses verres.

— Il était très myope ?

— Oh, oui, sans lunettes, il était désarmé.

— En possédait-il plusieurs paires ?

— Oui.

— Ah ! dit Poirot en s'appuyant au dossier de son siège. Je pense que cela conclut l'affaire.

Le silence tomba.

Ils regardaient tous le petit homme qui leur faisait face, caressant sa moustache. L'inspecteur semblait perplexe ; le docteur Stillingfleet fronçait les sourcils ; Cornworthy fixait le détective, incompréhensif ; Mrs. Farley avait l'air stupéfait ; Joanna paraissait avide de savoir.

Mrs. Farley rompit le silence.

— Je ne comprends pas, monsieur Poirot, dit-elle d'un ton irrité. Le rêve...

— Oui, répondit le détective. Ce rêve est d'une grande importance.

La jeune femme frissonna.

— Jamais auparavant, je n'avais cru aux phénomènes surnaturels, mais maintenant... ce rêve, sans cesse répété...

— C'est en effet étrange, dit le mécecin. Extraordinaire ! Si nous ne vous avions pas entendu, Mr. Poirot, nous assurer que Mr. Farley vous avait, lui-même, raconté cette histoire, nous ne pourrions pas y croire.

— Exactement, dit Poirot dont les yeux à demi fermés

s'ouvrirent soudain, très verts. Si Benedict Farley ne m'avait pas raconté cela.

Il s'interrompit, regardant les visages qui l'entouraient.

— Il se passa, ce soir-là, certaines choses auxquelles je ne trouvais pas d'explication. Premièrement, pourquoi m'avoir demandé d'apporter la lettre ?

— Identification, suggéra Cornworthy.

— Non, non, jeune homme. C'est ridicule. Il y avait une autre raison, beaucoup plus valable. Car, non seulement Mr. Farley me pria de lui montrer la lettre, mais de la lui rendre. Et, cependant, il ne la détruisit pas ! On l'a retrouvée dans ses papiers, cet après-midi. Pourquoi l'a-t-il gardée ?

— Il voulait, au cas où il arriverait quelque chose, dit Joanna Farley, que l'on soit au courant de ses rêves étranges.

Poirot eut un signe de tête appréciateur.

— Vous êtes intelligente, mademoiselle. C'est la seule explication valable. Il fallait, après sa mort, que l'on connût l'histoire de ses rêves. C'était vital !

« Le second point, à présent. Après avoir écouté Mr. Farley, je le priai de me montrer son bureau et son revolver. Il parut sur le point d'accepter, puis refusa brusquement. Pourquoi ?

Cette fois-ci, personne n'avança de réponse.

— Je vais vous poser la question sous une autre forme : qui y avait-il dans la pièce voisine que Mr. Farley ne voulait pas que je voie ?

Le silence persista.

— Oui, c'est difficile, admit Poirot. Mais Mr. Farley avait une raison, impérieuse, de me recevoir dans le bureau de son secrétaire et de refuser de me conduire dans le sien. Il s'y trouvait quelque chose qu'il ne pouvait se permettre de me montrer.

« Et maintenant, j'en viens à la troisième bizzarerie de cette soirée. Au moment où je m'apprêtais à prendre congé, Mr. Farley me réclama la lettre. Par inadvertance, je lui donnai un message de ma blanchisseuse. Il y jeta un coup d'œil et le posa à côté de lui. Je m'aperçus de mon erreur alors que j'étais à la porte et je revins sur mes pas pour la réparer.

« J'avoue avoir été complètement dans le noir en quittant la maison. L'affaire tout entière et surtout le dernier incident me paraissait parfaitement inexplicables. Tout cela ne vous dit rien ?

— Je ne vois pas ce que votre blanchisseuse vient faire là-dedans, Poirot, dit le médecin.

— Son rôle a été important. Cette misérable femme, qui détruit mes cols, a été, pour la première fois de sa vie, utile à quelqu'un. Mais, c'est évident, voyons ! Au premier coup d'œil, Mr. Farley aurait dû s'apercevoir de l'erreur. Et il ne dit rien ! Pourquoi ? Parce qu'il n'y voyait rien !

— N'avait-il pas ses lunettes ? demanda l'inspecteur Barnett d'un ton sec.

Hercule Poirot sourit.

— Oui, dit-il. Il les avait. C'est cela qui est intéressant.

« Mr. Farley rêvait qu'il se suicidait. Un peu plus tard, il le faisait, en réalité. C'est-à-dire qu'on l'a trouvé mort, un revolver à côté de lui, et personne n'avait pénétré dans la pièce au moment du coup de feu. Que cela signifie-t-il ? Le suicide semble évident ?

Hercule Poirot secoua la tête.

— Au contraire, dit-il. Il y a eu meurtre. Un meurtre peu commun, préparé avec beaucoup de soin.

Il se pencha en avant, le bout des doigts appuyés sur la table, ses yeux verts brillants.

— Pourquoi Mr. Farley ne m'a-t-il pas autorisé à pénétrer dans son bureau ? Parce que Benedict Farley y était !

Il sourit aux visages qui l'entouraient.

— Oui, je ne divague pas. Pourquoi Mr. Farley n'a-t-il pas pu faire la différence entre deux lettres totalement dissemblables ? Parce que, mes amis, c'était un homme à la vue normale, portant des lunettes aux verres très puissants, ce qui le rendait pratiquement aveugle. Est-ce possible, docteur ?

— Oui, bien sûr, murmura le médecin.

— Pourquoi ai-je eu l'impression, en m'entretenant avec Mr. Farley, de parler à un saltimbanque, à un acteur jouant un rôle ? Etudions la scène. La pièce plongée dans l'obscurité, la lampe très puissante laissant dans l'ombre la silhouette tassée dans un fauteuil. Qu'en ai-je vu ? La fameuse robe de chambre, le nez crochu — postiche — le toupet de cheveux blancs — autre postiche — les lunettes dissimulant les yeux. Quelle preuve a-t-on que Mr. Farley ait jamais rêvé ? Seule, l'histoire qui me fut contée et la déclaration de Mrs. Farley.

« Deux personnages se sont chargés de monter cette fable : Mrs. Farley et Hugo Cornworthy. Ce dernier m'écrivit la lettre, donna des instructions au maître d'hôtel, partit ostensiblement au cinéma, mais revint immédiatement avec sa clef, monta dans son bureau, se grima et joua le rôle de Mr. Farley.

« Arrivons-en à cet après-midi. L'occasion qu'attendait Cornworthy se présente. Deux témoins installés sur le palier affirment que personne n'est entré ou sorti de chez Mr. Farley. Cornworthy met à profit un mouvement de circulation particulièrement intense et bruyant ; se penche par sa fenêtre et, avec les pinces pliantes qu'il a prises sur la table de la pièce voisine, il tient un objet devant les carreaux de cette même pièce.

« Benedict Farley intrigué s'approche de la fenêtre. Cornworthy replie les pinces vivement et, Farley se penchant pour regarder l'extérieur, il le tue avec le revolver préparé à cet effet. En face, je vous le rappelle, il n'y a qu'un mur aveugle. Le crime n'a eu aucun témoin.

« Cornworthy attend une demi-heure environ puis, les pinces et le revolver dissimulés dans une liasse de papiers, il passe dans le couloir, et de là dans le bureau de son patron.

« Il remet les pinces à leur place initiale, presse les doigts du mort sur la crosse du revolver et sort en hâte de la pièce, annonçant le « suicide » de Mr. Farley.

« Il s'arrange pour que l'on trouve la lettre et que je vienne ici raconter l'histoire que je tiens de Mr. Farley ! Quelques gens naïfs discuteront d'une possibilité d'hypnotisme, mais le résultat principal sera obtenu, qui vise à prouver que Farley a mis fin à ses jours !

Les yeux de Poirot se posèrent sur le visage de la veuve. Il nota avec satisfaction le désarroi, la pâleur de cire... la peur aveugle...

— Et, continua-t-il doucement, le moment serait venu d'une conclusion heureuse. Un quart de million de livres et deux cœurs battant sur le même rythme.

John Stillingfleet et Hercule Poirot longeaient Northway House. Le mur de l'usine se dressait à leur droite. A gauche, au-dessus de leurs têtes, s'ouvraient les fenêtres des bureaux de Farley et de Cornworthy.

Hercule Poirot s'immobilisa, ramassa quelque chose à ses pieds : un petit chat d'étoffe noire.

— Voilà ce que Cornworthy tint, au bout des pinces, devant la fenêtre de Farley. Il haïssait les chats, vous le savez. Naturellement, il se précipita à la fenêtre.

— Pourquoi diable, Cornworthy n'est-il pas allé ramasser ce chat ?

— Comment l'aurait-il pu ? Ç'eût été se faire soupçonner aussitôt. Après tout, n'importe qui en le trouvant, pouvait penser à un jouet perdu par un enfant.

— Oui, dit le médecin avec un soupir. C'est sans doute le raisonnement que se serait tenu un être ordinaire. Mais pas le bon vieux Poirot ! Savez-vous, vieille branche, que jusqu'à la dernière minute, vous tentiez de développer une théorie de meurtre « suggéré » psychologiquement.

« Les deux autres le croyaient aussi, je le parierais. Cornworthy aurait peut-être pu s'en tirer si la femme n'avait pas eu une crise de nerfs. J'ai vu le moment où elle compromettait sérieusement votre beauté avec ses griffes. Je l'ai freinée à temps !

Il s'interrompit une seconde, puis reprit :

— La petite me plaît. Elle a de la personnalité et un cerveau. On me traiterait sans doute de coureur de dot si je tentais ma chance auprès d'elle...

— Trop tard, mon ami. Il y a déjà quelqu'un sur le tapis. La mort de son père lui a ouvert le chemin du bonheur.

— Au fond, elle avait un motif tout trouvé pour se débarrasser d'un parent désagréable.

— Le motif et l'occasion ne suffisent pas, dit Poirot. Il faut aussi avoir un tempérament de criminel !

— Je me demande si vous me commettrez pas un crime, un jour, Poirot ? Vous pourriez vous en tirer sans un pli. En fait, cela vous serait trop facile, ce ne serait vraiment pas sportif.

— Ça, c'est bien une idée d'Anglais.

TRADUIT DE L'ANGLAIS PAR MONIQUE THIES

LE MYSTÈRE DU BAHUT ESPAGNOL

(The mystery of the spanish chest)

CHAPITRE I

Ponctuel comme toujours, Hercule Poirot pénétra dans la petite pièce où sa secrétaire, Miss Lemon, attendait ses instructions pour la journée.

A première vue, Miss Lemon semblait uniformément composée d'angles, ce qui satisfaisait sans doute le goût de symétrie du détective.

Non qu'Hercule Poirot sacrifiât à sa passion pour la géométrie jusque dans la beauté féminine ! Il avait une faiblesse pour les courbes quand elles étaient voluptueuses. Il aimait les femmes vraiment femmes. Il les voulait pleines de sève, de teint vermeil, exotiques. Telle certaine comtesse russe qui... mais il y avait longtemps de cela. Une folie de jeunesse. Elle était d'une compétence considérée, Miss Lemon en tant que femme. Elle était d'une compétence étonnante. Elle avait quarante-huit ans et était magnifiquement dépourvue d'imagination.

— Bonjour, Miss Lemon.

— Bonjour, monsieur Poirot.

Il devait y avoir ce matin-là un léger changement aux habitudes. Poirot avait pris un journal et l'étudiait avec attention. Les manchettes étaient énormes : « Le Mystère du Bahut espagnol. Derniers développements. »

— Vous avez lu le journal ce matin, je suppose, Miss Lemon ?

— Oui, Monsieur, les nouvelles de Genève ne sont pas très bonnes.

Poirot balaya ce détail d'un geste.

— Un bahut espagnol, murmura-t-il. Qu'est-ce exactement, sauriez-vous me le dire ?

— Je pense qu'il s'agit d'un meuble provenant d'Espagne.

— Cela me paraît raisonnable. Vous ne savez rien d'autre à ce sujet ?

— Ces bahuts sont, je crois, de la période Elisabéthaine. Ils sont grands et largement ornés de cuivre. Ils sont très jolis si on les entretient avec soin. Ma sœur en a acheté un dans une vente. Elle y range son linge de maison. Il est ravissant.

— Tous les meubles doivent être remarquablement tenus, chez votre sœur, j'en suis persuadé, remarqua Poirot.

Miss Lemon répliqua d'un ton acide qu'à l'époque actuelle les domestiques semblaient ignorer l'emploi de l'huile de coude. Poirot parut légèrement surpris et il reporta son attention sur le journal, étudiant les noms mentionnés : commandant Rich ; Mr. et Mrs. Clayton ; capitaine de frégate McLaren ; Mr. et Mrs. Spence. Des noms, rien que des noms, mais pleins de possibilités humaines : de haine, d'amour et de peur. Un drame auquel Hercule Poirot n'avait pas part. Et pourtant il aurait aimé s'y joindre : six personnes réunies, le soir, dans une pièce contre un mur de laquelle s'appuyait un vaste bahut espagnol. Six personnages dont cinq parlaient, se servaient au buffet, plaçaient des disques sur le phonographe, dansaient pendant que le sixième était mort dans le bahut espagnol...

« Ah, pensait Poirot, quelles flambées d'imagination Hastings aurait-il eues ! Quelles inepties aurait-il proclamées ! Ah, ce cher Hastings, vraiment, aujourd'hui, il me manque... »

Poirot poussa un gros soupir et rabaissa les yeux sur une photo. Les clichés reproduits dans les journaux sont généralement très mauvais et celui-ci ne faisait pas exception à la règle... mais quel visage ! *Mrs. Clayton, la femme de la victime.*

D'un mouvement impulsif, le détective tendit le journal à sa secrétaire.

— Regardez, dit-il. Regardez ce visage. Miss Lemon obéit sans émotion.

— Qu'en pensez-vous ? Il s'agit de Mrs. Clayton.

— Elle ressemble un peu à la femme de notre directeur de banque, quand nous vivions à Croydon Heath.

— Intéressant, dit Poirot. Racontez-moi cela, vous m'obligerez.

— Vraiment, l'histoire n'est pas très agréable, Monsieur.

— Je m'en doute un peu. Mais, parlez, je vous prie.

— On avait beaucoup bavardé au sujet de Mrs. Adam et d'un jeune artiste. Mr. Adam s'est tiré une balle dans la tête. Sa femme n'a pas voulu épouser l'autre homme. Il s'est empoisonné. Mais on a réussi à le sauver. Pour finir, je crois que Mrs. Adam s'est remariée avec un jeune avocat. Il y a eu d'autres histoires, mais nous avons quitté Croydon Heath et je n'en ai plus entendu beaucoup parler.

Hercule Poirot hocha la tête gravement.

— Elle était très belle ?

— Euh... pas belle exactement, mais elle avait quelque chose...

— Voilà ! Ce quelque chose que possèdent les sirènes de ce monde ! Hélène de Troie, Cléopâtre...

Miss Lemon inséra avec vigueur une feuille de papier dans sa machine.

— Vraiment, monsieur Poirot, je n'ai jamais songé à tout cela, tant ça me paraît ridicule. Si les gens voulaient s'occuper davantage de leur travail et un peu moins de ces choses, cela vaudrait beaucoup mieux.

— C'est là votre point de vue, dit Poirot. Et, en ce moment, vous désirez que je vous laisse faire votre travail. Mais, mademoiselle, celui-ci ne consiste pas seulement à prendre mon courrier, classer mes papiers, répondre au téléphone — toutes tâches dont vous vous tirez aimablement — mais aussi à m'aider quand j'ai besoin de vous.

— Certainement, Monsieur, répondit Miss Lemon. Que désirez-vous que je fasse ?

— Cette affaire m'intéresse. Rédigez-moi, j'en serais heureux, une étude de tous les articles la concernant, paru dans les journaux de ce matin et un résumé de ce qu'en auront dit ceux du soir. Un relevé précis des faits.

— Très bien, Monsieur.

Poirot regagna son salon, un sourire triste sur les lèvres.

« Quelle ironie, se dit-il. Après ce cher Hastings, Miss Lemon ! Quel plus grand contraste imaginer ? Ce pauvre ami se serait réjoui. Il aurait arpenté la pièce en échafaudant les conclusions les plus romantiques sur chaque incident, croyant comme parole d'évangile le moindre mot paru dans la presse.

Cette malheureuse Miss Lemon ne doit pas être très satisfaite de la besogne dont je l'ai chargée.

Le lendemain la secrétaire lui présenta un liasse de feuillets dactylographiés.

— Voici les informations désirées, Monsieur. Mais je ne sais pas si l'on peut s'y fier. L'opinion varie selon le journal. Je n'oserais pas garantir plus de soixante pour cent d'exactitude dans les faits mentionnés.

— Estimation sans doute fort modérée, murmura Poirot. Je vous remercie, Miss Lemon, pour le mal que vous vous êtes donné.

Les faits étaient sensationnels mais assez nets. Le commandant Charles Rich, riche célibataire, avait invité en soirée quelques amis chez lui. Ces amis consistaient en Mr. et Mrs. Clayton ; Mr. et Mrs. Spence et le capitaine de frégate McLaren. Ce dernier était lié depuis longtemps aux Clayton et à Rich ; les Spence, plus jeunes, étaient une relation plus récente. Arnold Clayton travaillait à la direction du Trésor. Jeremy Spence était aussi fonctionnaire. Rich avait quarante-huit ans, Arnold Clayton cinquante-cinq ; McLaren quarante-six, Jeremy Spence trente sept. De Mrs. Clayton, on disait qu'elle était « beaucoup plus jeune que son mari ». Clayton n'avait pu se rendre à cette soirée, appelé au dernier moment en Ecosse pour une affaire urgente. Il était supposé avoir quitté King's cross par le train de 8 h 15.

La réunion avait été ce qu'elle devait être. Chacun avait paru s'amuser, dans le calme, sans boire avec excès. Elle avait pris fin vers 11 h 45. Les quatre invités étaient partis en même temps, partageant le même taxi. McLaren était descendu le premier à son club et les Spence avaient accompagné Margharita Clayton à Cardigna Gardens, de l'autre côté de Sloane Street, avant de retourner eux-mêmes chez eux, à Chelsea.

C'est le valet de Rich, William Burgess, qui avait fait la macabre découverte le lendemain matin. Le domestique, qui n'habitait pas chez le commandant, était arrivé de bonne heure pour mettre de l'ordre dans le salon avant de porter le thé à son maître. Une grande tache assombrissant le tapis clair sous le bahut espagnol avait attiré son attention. Il souleva le couvercle du meuble pour regarder à l'intérieur et fut horrifié de découvrir le cadavre de Mr. Clayton, égorgé.

Obéissant à sa première impulsion, Burgess s'était précipité dans la rue pour chercher un agent.

La police s'était empressée d'informer Mrs. Clayton qui « avait été totalement prostrée ». Elle avait vu son mari pour la dernière fois la veille, un peu après six heures. Il était arrivé chez lui très ennuyé de devoir se rendre en Ecosse pour une affaire urgente, relative à une propriété qu'il y possédait. Il avait insisté auprès de sa femme pour qu'elle assiste à la soirée sans lui. Clayton avait ensuite rejoint son club. Il y but un verre en compagnie de son ami McLaren auquel il déclara avoir juste le temps de passer chez Rich avant de prendre son train. Il avait tenté de le joindre au téléphone mais la ligne semblait en dérangement.

Selon le valet Burgess, Clayton était arrivé vers sept heures cinquante cinq. Rich était sorti mais devait revenir d'un moment à l'autre. Burgess suggéra à Clayton de l'attendre. Mais Clayton, pressé par le temps, décida de laisser une note à l'intention du commandant. Le domestique l'introduisit au salon et retourna dans sa cuisine où il confectionnait des canapés pour la réception. Il n'entendit pas son maître rentrer, mais il le vit dix minutes plus tard passer la tête par la porte pour lui demander d'aller, en toute hâte, acheter des cigarettes turques pour Mrs. Spence, dont c'était le tabac favori. Le domestique obéit et les apporta à son maître, dans le salon. Mr. Clayton ne se trouvait plus dans la pièce et Burgess en conclut qu'il était allé prendre son train.

Le récit de Rich était simple. Clayton n'était pas chez lui à son arrivée et il ignorait qu'il y soit venu. Il ne lui avait pas laissé de note et ce n'est qu'à l'arrivée des autres invités qu'il avait entendu parler du voyage en Ecosse.

Mrs. Clayton, abattue par le choc, avait quitté son appartement de Cardigna Gardens. On la croyait chez des amis.

Le commandant Charles Rich, accusé du meurtre d'Arnold Clayton, avait été arrêté.

— Il fallait s'y attendre, dit Poirot en regardant Miss Lemon. Cette arrestation était à prévoir. Quelle affaire étonnante. N'est-ce pas votre avis ?

— Ce sont des choses qui arrivent, dit Miss Lemon sans manifester autrement d'intérêt.

— Certainement ! Chaque jour ou presque. Mais, d'habitude, elles sont compréhensibles, bien que pénibles.

— Ce n'est évidemment pas agréable.

— Etre égorgé et dissimulé dans un bahut espagnol ne peut, certes, être qualifié d'agréable. Mais, en qualifiant cette affaire d'étonnante, je songeais à l'attitude du commandant Rich.

— On suggère, dit la vieille fille avec une grimace de dégoût, que le commandant et Mrs. Clayton seraient amis intimes... Cette supposition n'étant pas un fait précis, je n'en ai pas fait état.

— Ce qui vous fait honneur. Mais cette conclusion saute aux yeux. N'avez-vous pas autre chose à dire ?

Miss Lemon demeura imperturbable.

— Examinons un instant ce Rich. Il est amoureux de Mrs. Clayton. Tenons cela pour acquis. Il désire se débarrasser du mari, mais pourquoi, si Mrs. Clayton partage son amour ? Peut-être Clayton ne veut-il pas accorder le divorce à sa femme ? Le commandant Rich est à la retraite et les militaires, dit-on, ne sont pas réputés pour leur grande intelligence. Et celui-ci est-il, après tout, un total imbécile ?

Miss Lemon ne répondit pas à ce qu'elle prenait pour une question de pure théorie.

— Alors, insista Poirot. Que pensez-vous de tout cela ?

Miss Lemon n'était pas douée pour les raisonnements de n'importe quelle nature qu'ils fussent. Dans ses moments de loisir, elle réfléchissait à la mise au point d'un système de classement. C'était là sa seule récréation mentale.

— Dites-moi ce qui s'est produit, selon vous, au cours de cette soirée. Mr. Clayton était assis dans le salon, occupé à écrire un mot d'excuses, le commandant Rich est revenu... et puis ?

— Il a trouvé Mr. Clayton. Ils, je le suppose, se sont querellés. Le commandant Rich l'a poignardé. Et quand il a pris conscience de son acte, il a caché le cadavre dans le coffre. Les invités pouvant arriver d'une minute à l'autre.

— Oui. Oui. Il arrivent ! Le corps est dans le bahut. La soirée se passe. Les hôtes prennent congé. Et ensuite ?

— Le commandant va se coucher et... oh !

— Ah, dit Poirot. Vous voyez, maintenant. Vous assassinez un homme, vous dissimulez son cadavre dans un bahut et puis vous allez vous coucher bien tranquillement, nullement inquiet à l'idée que votre valet découvrira le crime le lendemain matin !

— Le domestique aurait pu ne pas regarder dans le meuble.

— Avec une flaque de sang sur le tapis ?

— Peut-être le commandant Rich n'avait-il pas remarqué ce sang.

— N'est-il pas surprenant de sa part de ne pas s'être inquiété de ce détail ?

— Il devait être très ému.

Poirot leva les bras, désolé.

Miss Lemon en profita pour quitter la pièce.

Le mystère du bahut espagnol, pour parler franc, ne regardait nullement Hercule Poirot. Il était, pour le moment, chargé d'une mission délicate pour le compte d'une grande compagnie pétrolière, dont on soupçonnait une des personnalités de se livrer à des transactions très discutables.

Le mystère du bahut espagnol était dramatique et émouvant. Deux états que l'on n'avait que trop tendance à prendre en considération. Combien de fois Poirot ne l'avait-il pas reproché à Hastings ! Il s'était montré sévère sur ce point et maintenant lui-même agissait comme l'eût fait son ami ! Il était obsédé par une femme trop belle, un crime passionnel, la jalousie, la haine et tout ce qui apporte du romanesque à un meurtre. Il voulait tout apprendre sur cette affaire : à quoi ressemblaient Rich et son domestique, Burgess et Margharita Clayton ; en savoir davantage sur Arnold Clayton (le caractère de la victime est toujours très important) et même se faire une idée du capitaine McLaren, l'ami dévoué, et des Spence, relation de plus fraîche date.

Mais il ne voyait pas très bien comment procéder pour satisfaire à sa curiosité. Il y réfléchit toute la journée.

Pourquoi cela l'intriguait-il à ce point ? Parce que, telle qu'on la relatait, l'affaire était presque impossible !

Deux hommes se querellent — vraisemblablement pour une femme — l'un tue l'autre, au paroxysme de la colère. Oui... ce sont des choses qui arrivent, quoiqu'il aurait été plus plausible que le mari tuât l'amant. Ici, l'amant tue le mari avec une dague (?). Curieux. Peut-être Rich avait-il une mère italienne ? Le choix de cette arme doit pouvoir s'expliquer (certains journaux la baptisaient même « stylet »). Elle se trouvait à portée de la main et a dû être utilisée pour cette raison. Le cadavre a été dissimulé dans le bahut. Le crime n'avait pas été prémédité et le valet pouvait revenir à chaque instant, sans parler des autres invités attendus.

La soirée s'achève, les hôtes prennent congé, le domestique est déjà parti et le commandant Rich va se coucher !

Pour comprendre cette façon de procéder, il fallait voir Rich, se rendre compte quel genre d'homme il était.

Submergé d'horreur, épuisé par la longue tension nerveuse exigée durant la soirée, aurait-il pris un puissant somnifère ou un calmant retardant l'heure habituelle de son réveil ? Possible. Le commandant Rich aurait-il obéi au désir — dicté par une conscience coupable — de voir son crime découvert ?

Pour se faire une opinion à ce sujet il fallait absolument voir Rich !

La sonnerie du téléphone interrompit le cours des réflexions de Poirot.

— Monsieur Poirot ?

— Lui-même.

— Oh, c'est merveilleux !

Le détective cilla légèrement, tant son interlocutrice avait mis de ferveur dans sa voix chaude.

— Ici, Abbie Chatterton.

— Ah, Lady Chatterton ! Comment puis-je vous servir ?

— En venant, sans perdre un instant, assister à l'affreuse cocktail-party qui a lieu chez moi. Mais il y a autre chose aussi ! J'ai besoin de vous. C'est vital ! Je vous en prie, je vous en supplie, ne me faites pas faux bond !

Poirot n'avait nullement l'intention de répondre dans ce sens. Lord Chatterton, hormis le fait d'être pair du royaume, était une nullité. Lady Chatterton était un des plus beaux joyaux de ce que Poirot appelait « le grand monde ». Elle possédait de l'intelligence, de la beauté, de l'originalité et suffisamment de vitalité pour propulser une fusée dans la lune.

— J'ai besoin de vous, répéta-t-elle. Donnez une belle courbe à votre charmante moustache et venez !

Ce ne fut pas si rapide. Poirot se livra à une toilette minutieuse avant de se mettre en route.

La porte de la délicieuse maison de Lady Chatterton dans Cheriton Street, était entrouverte, laissant passer une rumeur de zoo en révolte. L'hôtesse, qui s'entretenait avec deux ambassadeurs, un joueur de rugby international et un évangéliste américain, se débarrassa d'eux en un tour de main et se porta au-devant du détective.

— Monsieur Poirot, quelle joie de vous voir ! Non, ne prenez pas de cet affreux Martini ! J'ai quelque chose pour vous : une sorte de sirop que boivent les cheiks marocains. La bouteille est dans mon boudoir au premier.

Elle montra le chemin et le détective la suivit. Elle s'arrêta au milieu de l'escalier pour dire, par-dessus son épaule :

— Je ne donne pas congé à tous ces gens car il est indispensable qu'on ignore qu'il se passe quelque chose de spécial ici. J'ai promis des sommes astronomiques aux domestiques pour qu'il n'en soit pas dit un mot. Je ne tiens pas à voir la maison assiégée par les journalistes. Et cette pauvre chérie en a déjà tant vu !

Lady Chatterton ne s'arrêta pas au premier étage et gravit aussitôt l'escalier menant au second.

La jeune femme lança un rapide coup d'œil par-dessus la rampe puis ouvrit une porte.

— Je l'ai, Margharita ! Je l'ai !

Triomphante, elle s'écarta pour permettre à Poirot d'entrer, puis fit de brèves présentations.

— Voici Margharita Clayton. C'est une de mes très chères amies. Vous l'aiderez, n'est-ce pas ? Margharita, tu as le merveilleux Hercule Poirot. Il fera tout ce que tu voudras... n'est-ce pas, cher Monsieur ?

Et, sans attendre la réponse à une question qu'elle jugeait entendue (Lady Chatterton n'était pas pour rien une jolie femme gâtée) elle courut à la porte.

— Je dois rejoindre tous ces gens odieux ! cria-t-elle sur le seuil.

La femme qui était restée assise auprès de la fenêtre se leva et s'approcha du détective. Celui-ci l'aurait reconnue, même si Lady Chatterton n'avait pas dit son nom. Il voyait le front très large, les cheveux sombres dont les bandeaux s'écartaient comme des ailes, les yeux gris espacés. Elle portait, fermée au col, une robe noire qui accentuait la beauté de son corps et la délicatesse de son teint. Elle avait un de ces visages étrangement proportionnés que l'on voit parfois chez les primitifs italiens. Elle exhalait une sorte de simplicité médiévale, une innocence étrange qui pouvait être, songea Poirot, plus dévastatrice qu'une voluptueuse sophistication. Quand elle parla, ce fut avec une candeur enfantine.

— Abbie dit que vous voulez m'aider...

Elle le regardait avec une gravité intense.

Un instant, il resta à l'étudier avec soin, non pas à la façon d'un malotru, mais plutôt à celle d'un praticien étudiant un nouveau malade.

— Etes-vous sûre, Madame, dit-il enfin, que je puis vous aider ?

Elle rougit légèrement.

— Je ne vous comprends pas.

— Que désirez-vous me voir faire, Madame ?

— Oh, dit-elle surprise. Je croyais... que vous saviez qui je suis.

— Je le sais. On a tué — poignardé — votre mari et on a arrêté le commandant Rich accusé de ce meurtre.

Sa rougeur s'accentua.

— Le commandant n'a pas tué mon mari.

— Et pourquoi pas ? demanda Poirot très vite.

Elle le regarda, stupéfaite.

— Je vous ai surprise en ne posant pas la question que chacun pose, la police, les avocats : « Pourquoi Rich aurait-il tué Arnold Clayton ? » Dites-moi, Madame, ce qui vous rend si sûre que le commandant Rich n'a pas tué votre mari ?

— Parce que... parce que je le connais très bien.

— Vous le connaissez très bien, répéta Poirot inexpressif. Puis brutalement : « Si bien que cela ? »

Il n'aurait su dire si elle comprit sa pensée. « Voici une femme très simple ou très subtile. Margharita Clayton doit intriguer beaucoup de gens. »

— Depuis cinq ans... non, plutôt six, répondit-elle.

— Telle n'était pas ma pensée. Vous comprendrez, Madame, que je doive vous poser des questions indiscrètes. Peut-être avez-vous l'intention de me dire la vérité, peut-être préférez-vous mentir ? Le mensonge est nécessaire aux femmes, parfois. Mais il existe trois personnes, Madame, auxquelles elles doivent la vérité : leur confesseur, leur coiffeur et leur détective privé... si elles lui font confiance. M'accordez-vous la vôtre, Madame ?

Margharita Clayton respira profondément.

— Oui, dit-elle. Oui, il le faut.

— Parfait. Que désirez-vous de moi, trouver qui a tué votre mari ?

— Je le crois... oui.

— Mais ce n'est pas indispensable ? Vous voulez me voir laver le commandant de tout soupçon ?

Elle acquiesça d'un signe de tête.

— Cela... et cela seul.

C'était là, il le vit, une question inutile. Margharita Clayton était femme à ne voir qu'une chose à la fois.

— A présent, venons-en aux indiscrétions. Le commandant Rich et vous, vous vous aimiez ?

— Si vous entendez par là que nous avons une liaison, non.

— Mais il est amoureux de vous ?

— Oui.

— Et vous, l'êtes-vous de lui ?

— Je le crois.

— Vous n'en êtes pas certaine ?

— A présent oui.

— Vous n'aimiez donc pas votre mari ?

— Non.

— Vous répondez avec une admirable simplicité. La plupart des femmes se seraient crues obligées de s'étendre sur leurs sentiments. Depuis combien de temps étiez-vous mariée ?

— Onze ans.

— Pourriez-vous me parler un peu de votre mari ? Quel genre d'homme était-ce ?

Elle fronça les sourcils.

— C'est difficile à exprimer. Je ne sais ce qu'Andy était exactement. Calme, très réservé. On n'aurait su dire ce qu'il pensait. Il était intelligent, on s'accordait à le trouver brillant pour son travail, Il... comment vous dire... il ne s'expliquait jamais.

— Vous aimait-il ?

— Oh oui. Il devait m'aimer, sans quoi il n'aurait pas attaché une telle importance...

Elle s'interrompit brusquement.

— Aux autres hommes ? C'est ce que vous vouliez dire ? Il était jaloux ?

— Sans doute, dit-elle, puis elle ajouta pour s'expliquer. Parfois il restait des journées entières sans parler.

Poirot inclina la tête, pensif.

— Avez-vous connu d'autres tragédies ?

Elle plissa le front, puis rougit.

— Vous faites allusion à ce pauvre garçon qui s'est suicidé ?

— Oui, dit Poirot.

— Je n'avais aucune idée de ses sentiments. Il me faisait pitié, il semblait si timide, si seul. Il devait être névrosé. Et ces deux Italiens et leur duel ! C'était ridicule ! Enfin, Dieu merci, personne n'a été tué. Aucun d'eux ne m'intéressait ! Et je ne leur ai jamais fait croire le contraire.

— Non. Il vous a suffi d'être là. Et, lorsque vous vous trouvez quelque part, il se produit des catastrophes ! J'ai déjà vu cela. Et c'est votre indifférence qui affole les hommes. Mais vous vous intéressez au commandant Rich. Donc, nous allons faire ce que nous pouvons.

Il garda le silence durant une minute. Elle le regardait, les yeux graves.

— Passons des gens aux faits. Je ne sais que ce qu'en disent les journaux. Si je m'en réfère à ceux-ci, deux personnes seulement ont eu l'occasion de tuer votre mari : le commandant et son domestique.

— Charles ne l'a pas fait, je le sais, s'entêta-t-elle.

— Donc, ce doit être son valet. Vous êtes de mon avis ?

— Je vois ce que vous voulez dire...

— Mais, cela ne vous satisfait pas ?

— Cela me paraît ahurissant !

— Mais la possibilité demeure. Votre mari, c'est indéniable, est venu dans l'appartement puisqu'on y a retrouvé son cadavre. Si la déposition du valet est exacte, le commandant Rich l'a tué. Et si l'histoire du domestique est fausse ? C'est lui, alors, qui a commis le crime et caché le cadavre dans le bahut avant le retour de son maître. Excellente façon — à son point de vue — de disposer du cadavre. Il n'avait plus qu'à « remarquer la tache de sang » le lendemain. Tous les soupçons tomberaient immédiatement sur Rich.

— Mais pourquoi aurait-il voulu tuer Arnold ?

— Oui, pourquoi ? Peut-être votre mari savait-il quelque chose touchant à l'honorabilité du valet et voulait-il en aviser le commandant Rich. Mr. Clayton vous a-t-il quelquefois parlé de ce Burgess ?

Elle secoua la tête.

— L'aurait-il fait, de toute façon ?

Elle plissa le front.

— C'est difficile à dire. Peut-être pas. Arnold parlait peu des autres. Il était très réservé. Il n'a jamais été bavard.

— Oui, je vois. Et votre opinion sur Burgess ?

— Il passe toujours inaperçu. C'est un assez bon domestique. Adroit mais peu stylé.

— Quel âge ?

— Entre trente-sept et trente-huit ans. Il était ordonnance, pendant la guerre, mais il n'est pas soldat d'active.

— Depuis combien de temps sert-il chez le commandant Rich ?

— A peine un an et demi, je crois.

— N'avez-vous jamais remarqué quelque chose d'étrange dans son attitude envers votre mari ?

— Non. Mais je le voyais très peu.

— Racontez-moi votre soirée. Pour quelle heure était-elle prévue ?

— Huit heures et quart, huit heures et demie.

— Quel genre de réception ?

— Des boissons, un buffet, très bon, comme d'habitude. Puis nous avons fait de la musique. Charles a une excellente installation stéréophonique. Mon mari et Jack McLaren sont passionnés de disques classiques. Nous avons eu également de la musique de danse, les Spence sont de remarquables danseurs. Ce fut une soirée tranquille. Charles a toujours su recevoir.

— Et cette soirée fut comme les autres ? Vous n'avez rien remarqué d'insolite, de déplacé ?

— Déplacé ? Elle fronça les sourcils. Il me semble que, non, je ne vois plus. Il y avait quelque chose, cependant — elle secoua la tête. — Non. Cette soirée fut semblable aux autres. Nous nous sommes amusés. Chacun semblait détendu — elle frissonna — et quand on pense que pendant ce temps-là...

Poirot leva vivement la main.

— Non ! N'y pensez pas. Que savez-vous de l'affaire qui a appelé votre mari en Ecosse ?

— Pas grand'chose. Un désaccord, je crois, au sujet de la vente d'un lot de terrain appartenant à mon mari. Des difficultés de dernière minute.

— Que vous a dit votre mari exactement ?

— Il est arrivé, un télégramme à la main : « C'est très

167

ennuyeux », m'a-t-il dit, autant que je m'en souvienne. « Il me faut prendre le train de nuit pour Edimbourg et voir Johnston à la première heure, demain matin. Dois-je demander à Jack de venir te chercher ? » J'ai refusé disant que je prendrais un taxi et lui ai proposé de lui préparer une valise. Il n'a pas voulu, quelques affaires de toilette dans une trousse lui suffisaient. Il avait l'intention de dîner rapidement à son club avant de prendre le train. Puis il est parti et je ne l'ai pas revu.

Sa voix s'était un peu brisée, aux derniers mots.

Poirot la regarda, l'œil dur.

— Vous a-t-il montré le télégramme ?

— Non.

— Quel dommage !

— Pourquoi cela ?

Il ne répondit pas à sa question.

— Au travail, à présent, dit-il avec vivacité. Quels sont les avocats du commandant Rich ?

Il prit note de ce qu'elle lui dit.

— Voudriez-vous m'écrire un mot à leur intention ? J'aimerais m'arranger pour voir le commandant.

— Il est en prison pour une semaine.

— Naturellement, c'est la coutume. Voudriez-vous également m'écrire un billet pour le capitaine McLaren et vos amis Spence. Je veux les voir et je ne tiens pas à me faire mettre à la porte.

— Encore une chose, ajouta-t-il quand elle eut terminé. Je me ferai une opinion, mais j'ai besoin de vos impressions sur McLaren et les Spence.

— Jack est l'un de nos plus vieux amis. Je l'ai connu alors que je n'étais qu'une enfant. Il donne l'impression d'être obstiné mais il est charmant, ni gai ni amusant, mais il est « solide ». Arnold et moi nous nous en rapportions presque toujours à son jugement.

— Et lui aussi, sans aucun doute, est amoureux de vous ? demanda Poirot.

— Oh oui, répondit Margharita avec simplicité. Il m'a toujours aimée, mais c'est devenu une sorte d'habitude.

— Et les Spence ?

— Ils sont joyeux et agréables à fréquenter. Linda Spence est vraiment très intelligente. Arnold aimait beaucoup bavarder avec elle. Elle a du charme.

— Vous êtes amies ?

— Elle et moi ? Dans un sens, oui. Mais je ne crois pas l'aimer vraiment. Elle est trop moqueuse.

— Et son mari ?

— Oh, Jeremy est délicieux. Très musicien, très versé en peinture aussi. Nous visitons beaucoup de galeries ensemble.

— Bien, je vais voir tout cela, dit Poirot en se levant. J'espère, Madame, que vous ne regretterez pas d'avoir demandé mon aide.

— Pourquoi le regretterais-je ? s'étonna-t-elle.

— On ne sait jamais.

« Ou plutôt je ne sais pas », se dit le détective en redescendant l'escalier.

La réception battait toujours son plein, mais il évita la capture et se retrouva dans la rue.

« Non », se répéta-t-il. « Non, je ne sais pas ».

Il pensait à Margharita Clayton.

Cette candeur enfantine apparente, cette franche innocence. Qu'était-ce au juste ? Cela masquait-il quelque chose ? On avait connu des femmes comme elle sur lesquelles l'histoire n'avait pas su se prononcer. Etait-elle de ces femmes enfantines qui peuvent se répéter « je ne sais rien » et le croire ? Il était conscient du charme de Margharita Clayton, mais il n'était pas sûr d'elle.

De telles femmes, bien qu'innocentes elles-mêmes, pouvaient être la cause d'un crime.

CHAPITRE II

Hercule Poirot ne trouva pas les avocats du commandant Rich très serviables. Ce ne fut pas pour l'étonner.

Ils s'arrangèrent pour lui faire comprendre, sans le dire expressément, que, dans l'intérêt de leur client Mrs. Clayton ferait mieux de ne pas montrer qu'elle s'occupait de lui.

La visite du détective n'était qu'une simple manifestation de courtoisie. Il avait assez de relations pour obtenir un entretien avec le prisonnier.

L'inspecteur Miller n'était pas un des favoris de Poirot. Il ne se montra pas hostile, simplement insolent.

— Je n'ai pas de temps à perdre avec ce vieux raseur, avait-il dit à son planton. Enfin, il faut se montrer poli.

— Ce sera un tour de passe-passe si vous réussissez à faire quelque chose, monsieur Poirot, dit-il d'un ton enjoué. Seul Rich a pu tuer l'autre type.

— Avec le valet.

— Oh, celui-là, je vous le donne ! Vous ne trouverez rien. Il n'aurait eu aucun motif, d'ailleurs.

— Vous ne pouvez en être certain. Un motif est une curieuse chose.

— Allons donc ! Il n'avait aucun rapport avec Clayton. Son passé est sans histoire. Il paraît parfaitement sain d'esprit. Je me demande ce que vous voulez de plus ?

— Prouver que Rich n'a pas commis ce crime.

— Pour faire plaisir à la dame, hein ? dit l'inspecteur Miller en ricanant. Si elle en a eu l'occasion, vous savez, elle a pu faire le coup elle-même.

— Non !

— Vous aurez des surprises. J'ai connu une femme comme ça, autrefois. Elle s'est débarrassée de deux maris sans un clignement de ses beaux yeux innocents. Et, le cœur brisé, chaque fois. Le jury l'aurait acquittée s'il y avait eu un atome de doute.

— C'est très bien, mais inutile de discuter. Je voudrais vous demander quelques détails.

— Que voulez-vous savoir ?

— L'heure de la mort.

— Elle est approximative, le corps n'ayant été découvert que le lendemain matin. Elle a dû avoir lieu dix à treize heures auparavant. Un coup de poignard dans la jugulaire, la mort a dû suivre très vite.

— L'arme ?

— Une sorte de stylet italien, assez petit, coupant comme un rasoir. Personne ne l'avait vu auparavant ni n'en connaît la provenance.

— Il n'a pas pu être ramassé au cours d'une querelle ?

— Non, le domestique prétend qu'il n'était pas dans l'appartement.

— Le télégramme qui appelait Arnold Clayton en Ecosse m'intéresse. Cette convocation était-elle réelle ?

— Non. Tout se passait bien là-bas.

— Alors qui a envoyé ce télégramme ? Car je suppose qu'il y en a eu un ?

— Normalement, oui. Nous n'avons pas pour cela la seule parole de Mrs. Clayton. Clayton lui-même a dit au valet qu'une dépêche l'appelait en Ecosse, il a annoncé la même chose au capitaine McLaren.

— A quelle heure a-t-il vu ce dernier ?

— Ils ont mangé quelque chose ensemble à leur club, vers sept heures et quart. Puis Clayton a pris un taxi pour se rendre chez Rich où il est arrivé juste avant huit heures. Après cela...

Miller écarta les mains dans un geste d'impuissance.

— Quelqu'un a-t-il noté une bizarrerie dans l'attitude de Rich ce soir-là ?

— Peuh ! Une fois qu'il s'est passé quelque chose, les gens ont remarqué des quantités de détails qui, je le parierais, n'existaient pas. Mr. Spence dit qu'il a été distrait toute la soirée, qu'il ne répondait pas toujours au bon moment comme s'il avait eu « Quelque chose dans la tête ». S'il avait collé le cadavre dans le bahut, il se demandait comment s'en débarrasser !

— Pourquoi ne l'a-t-il pas fait ?

— Ça me dépasse ! Il n'a pas eu le cran. Mais c'était de la folie que de le laisser là jusqu'au lendemain. C'était l'occasion ou jamais de le faire disparaître pendant la nuit. Il n'y a pas de concierge. Il aurait approché sa voiture, installé le corps dans le coffre, il est de taille, filé à la campagne et laissé son chargement quelque part. On aurait pu le voir charger le cadavre ? Peu de chances, les appartements donnent sur une rue secondaire et on peut amener une voiture dans la cour. A trois heures du matin, c'était le moment ou jamais. Et, au lieu de cela, que fait-il ? Il va se coucher, il s'éveille assez tard pour trouver la police chez lui !

— Il se couche et dort comme un innocent à la conscience tranquille.

— Si ça peut vous faire plaisir. Vous y croyez vraiment ?

— Je répondrai à cette question quand j'aurai vu l'homme.

— Vous reconnaissez un innocent en le voyant, vous ? Ce n'est pas si facile !

— Je désire seulement me rendre compte si cet homme est vraiment stupide.

Mais Poirot n'avait pas l'intention de voir Rich avant d'avoir rendu visite aux autres.

Il commença par le capitaine McLaren.

Celui-ci était grand, basané et d'humeur peu communicative. Il avait un visage rude, mais agréable. Réservé, il fut difficile de le faire parler. Mais Poirot s'entêta.

Le billet de Mrs. Clayton entre les doigts, il dit à contrecœur :

— Puisque Margharita veut que je vous dise ce que je sais, je vous le dirai. Cela ne vous apprendra rien. Mais Margharita le désire, j'ai toujours fait ce qu'elle a voulu, depuis qu'elle avait seize ans. Elle sait s'y prendre.

— Oui, je sais, dit Poirot. Tout d'abord, j'aimerais vous voir répondre franchement à une question. Croyez-vous le commandant Rich coupable ?

— Evidemment. Je ne le dirai pas à Margharita si elle veut croire en son innocence, mais j'en suis persuadé, ce type doit être coupable.

— S'entendait-il mal avec Mr. Clayton ?

— Pas le moins du monde. Charles et Arnold étaient d'excellents amis. C'est ce qui est extraordinaire.

— Peut-être l'amitié existait entre le commandant et Mrs. Clayton...

McLaren interrompit le détective avec fougue.

— Pouah ! Ces basses insinuations des journaux, Mrs. Clayton et Rich étaient bons amis et c'est tout ! Margharita a beaucoup d'amis. Je suis un de ceux-là, depuis des années. Et il n'y a rien eu que tout le monde ne pourrait apprendre.

— Vous n'admettez donc pas qu'ils aient pu avoir une liaison ?

— Certainement pas ! N'allez surtout pas écouter Mrs. Spence. Elle a une langue de vipère !

— Mais peut-être Mr. Clayton croyait-il à la possibilité d'une liaison entre sa femme et le commandant Rich ?

— Nullement ! Vous pouvez m'en croire ! Je l'aurais su. Nous étions intimes, Arnold et moi.

— Quelle sorte d'homme était-il ?

— Arnold était un type tranquille. Mais intelligent, brillant même. Il était haut-fonctionnaire, vous savez.

— Je l'ai entendu dire.

— Il lisait beaucoup. Il aimait énormément la musique. Il ne dansait pas et se montrait peu disposé à sortir.

— Etait-il heureux en ménage ?

McLaren ne répondit pas aussitôt.

— C'est difficile à exprimer, dit-il enfin. Oui, ils étaient heureux, me semble-t-il. Il était profondément dévoué à sa femme. Elle l'aimait beaucoup, j'en suis persuadé. Peut-être n'avaient-ils pas beaucoup de points communs.

— A présent, parlez-moi de votre dernière soirée. Mr. Clayton a dîné au club avec vous ? Que vous a-t-il dit ?

— Qu'il partait pour l'Ecosse. Cela n'avait pas l'air de lui plaire. En fait, nous n'avons pas dîné. Pas le temps. Il a pris des sandwiches et un verre ; moi, je me suis contenté d'un verre.

— Mr. Clayton vous a-t-il parlé d'un télégramme ?

— Oui.

— Vous l'a-t-il montré ?

— Non.

— A-t-il dit qu'il se rendait chez Rich ?

— Pas expressément. Il n'était pas sûr d'en avoir le temps. « Margharita, vous pourrez m'excuser » m'a-t-il dit. Il a ajouté : « Je compte sur vous pour la reconduire, n'est-ce pas ? » Puis il est parti. Il était parfaitement naturel.

— Il ne doutait aucunement de l'authenticité du télégramme ?

— Il y a doute ?

— Apparemment.

— Ça par exemple !

McLaren sombra dans une sorte de coma dont il émergea pour dire brusquement :

— Ça, c'est vraiment bizarre. Pourquoi quelqu'un voulait-il l'envoyer en Ecosse ?

— C'est là, certes, une question qui exige une réponse.

Hercule Poirot prit congé du capitaine, le laissant apparemment stupéfait.

Les Spence habitaient une maison miniature à Chelsea.

Linda Spence reçut Hercule Poirot avec des transports d'allégresse :

— Oh, dites-moi ! s'exclama-t-elle. Parlez-moi de Margharita. Où est-elle ?

— Je n'ai pas le droit de le révéler, Madame.

— Elle s'est bien cachée ! Margharita est habile pour cela. Mais elle sera appelée pour témoigner au tribunal, je pense ? Elle ne pourra pas se dérober.

Poirot l'examina et décida, à son corps défendant, qu'elle avait du charme — selon le goût du jour qui la faisait ressembler à une petite orpheline sous-alimentée. Des cheveux artistement ébouriffés encadraient un visage un peu barbouillé et sans maquillage à l'exception d'une bouche écarlate. Ses yeux étaient vifs et l'observaient sans ciller.

— Quel est votre rôle là-dedans ? demanda la jeune femme. Tirer le petit copain d'affaire, d'une façon ou de l'autre ? C'est ça ? Il n'y a pas d'espoir !

— Vous le croyez coupable ?

— Naturellement. Qui d'autre ?

Poirot répondit par une autre question.

— Comment avez-vous trouvé le commandant Rich, au cours de la soirée fatale ? Comme d'habitude ou non ?

Linda Spence plissa les yeux.

— Non, il n'était pas lui-même. Il était différent.

— Comment, différent ?

— Eh bien, quand on vient de poignarder quelqu'un de sang-froid !

— Mais vous l'ignoriez à ce moment.

— Oui, évidemment.

— Alors, à quoi attribuez-vous cette « différence » ?

— Il était distrait. Oh, je ne sais pas. En y réfléchissant, plus tard, j'ai décidé qu'il y avait eu quelque chose.

Poirot soupira.

— Qui est arrivé le premier ?

— Nous, Jim et moi. Puis Jack. Et, pour finir, Margharita.

— Quand a-t-on parlé du départ de Mr. Clayton en Ecosse ?

— A la venue de Margharita. Elle a dit à Charles : « Arnold est désolé. Il a dû prendre un train de nuit pour l'Ecosse. » Et Charles a répondu : « Oh, quel dommage ». Et Jack a ajouté : « Je vous croyais au courant ». Ensuite on nous a donné à boire.

— Le commandant Rich a-t-il mentionné le passage de Mr. Clayton au cours de la soirée ?

174

— Pas que je sache.

— C'est étrange, n'est-ce pas, ce télégramme ?

— Quoi donc ?

— C'était un faux. Personne à Edimbourg, n'en sait rien.

— C'est donc cela. Je me demandais aussi...

— Vous aviez un soupçon concernant ce télégramme ?

— Ne jouez pas les innocents, dit Linda sans ambage. Un mystificateur inconnu qui éloigne le mari ! La route est libre pour la nuit.

— Selon vous, Mrs. Clayton et Rich avaient projeté de passer la nuit ensemble ?

— Vous avez déjà entendu parler de choses de ce genre, j'imagine ? demanda Linda, moqueuse.

— Et c'est l'un des deux qui aurait envoyé la dépêche ?

— Cela ne me surprendrait pas.

— Vous pensez que Mrs. Clayton et le commandant avaient une liaison ?

— Cela ne m'étonnerait pas. Mais je n'en ai aucune certitude.

— Mr. Clayton le soupçonnait-il ?

— Arnold était extraordinaire. Il encaissait tout. Je crois qu'il savait, mais jamais il ne l'aurait laissé voir. N'importe qui l'aurait pris pour un être sec, dépourvu de sentiments. Mais c'était tout .extérieur, j'en suis persuadée. Cela m'aurait beaucoup moins surprise de voir Arnold poignarder Charles que l'inverse. Arnold me donnait l'impression d'être d'une jalousie maladive.

— Voilà qui est intéressant.

— Oui, une sorte d'Othello. Margharita, vous saviez, fait un effet extraordinaire sur les hommes.

— Oui, c'est une jolie femme, dit Poirot, prudent.

— Oh ! davantage ! Elle a quelque chose. Elle attire l'attention des hommes. Elle les regarde avec des grands yeux surpris et ils deviennent tous cinglés.

— Une femme fatale.

— Si vous voulez.

— Vous la connaissez bien ?

— Mon cher, c'est l'une de mes meilleures amies, et je ne lui ferais pas confiance pour deux sous.

— Ah, dit Poirot qui passa à McLaren.

— Jack ? Le vieux fidèle ? C'est un amour. Arnold, je crois, se confiait à lui plus qu'à n'importe qui. Et, naturellement, c'était l'animal favori de Margharita. Cela fait des années qu'il l'adore.

— Et Mr. Clayton était jaloux de lui ?

— Jaloux de Jack ? Quelle idée ! Margharita est sincèrement attachée à lui mais elle ne lui a jamais donné à entendre autre chose ! Personne n'y songerait, je ne sais pourquoi, cela me paraît choquant. Il est si gentil.

Poirot fit glisser la conversation sur le domestique. Mais en dehors des cocktails remarquables qu'il faisait, Linda Spence semblait tout ignorer de Burgess.

— Vous pensez, dit-elle, qu'il aurait pu tuer Arnold ? C'est invraisemblable !

— Cette remarque me déprime, Madame. Mais il me paraît — vous ne serez pas de mon avis — totalement invraisemblable, non pas que le commandant Rich ait tué Arnold Clayton, mais qu'il l'ait fait de la façon que nous savons.

— Avec un stylet ? Oui, cela ne lui ressemble pas du tout. Il l'aurait assommé, étranglé...

Poirot soupira.

— Nous voilà revenus à Othello. Vous m'avez donné une petite idée.

— Moi ! Laquelle ?

Une clef tourna dans la serrure.

— Oh, voici Jeremy ? Voulez-vous lui parler aussi ?

Jeremy Spence était un homme d'une trentaine d'années, d'une figure agréable, bien habillé, avec une discrétion presque exagérée.

Sa femme se souvint à propos du repas à préparer et gagna la cuisine, laissant les deux hommes seuls.

Jeremy Spence se montra visiblement mécontent d'être mêlé à l'affaire. Il répondit aux questions du détective avec prudence et sans se compromettre. Ils connaissaient les Clayton depuis assez longtemps, mais Rich un peu moins bien. Il paraissait sympathique. Il lui avait semblé absolument normal au cours de la dernière soirée. Clayton et Rich avaient toujours paru être en bons termes. Toute l'affaire était inexplicable.

Jeremy Spence manifesta clairement son désir de voir Poirot partir au plus vite. Il se montra à peine poli.

— J'ai l'impression, remarqua le détective que ces questions vous déplaisent ?

— Nous avons eu une véritable conférence avec la police. J'en ai plus qu'assez. Nous avons dit tout ce que nous savons ou avons su. A présent, j'aimerais oublier le tout.

— Vous avez toute ma sympathie. Il est fort désagréable de jouer un rôle dans une tragédie comme celle-ci. On vous a demandé ce que vous aviez vu ou entendu et peut-être aussi ce que vous aviez pensé ?

— J'aime mieux ne pas penser.

— Peut-on l'éviter ? A votre avis, Mrs. Clayton était-elle au courant ? Aurait-elle préparé la mort de son mari avec Rich ?

— Seigneur, non ! s'écria Spence, choqué. Quelle idée !

— Mrs. Spence n'aurait-elle pas fait une suggestion semblable ?

— Oh ! Linda ! Vous connaissez les femmes, Margharita est beaucoup trop séduisante pour être aimée de ses pareilles ! Mais aller croire qu'elle ait pu arranger cela avec Rich, c'est ahurissant !

— Cela s'est vu ! L'arme, par exemple, serait celle d'une femme plutôt que d'un homme.

— La police est remontée jusqu'à elle ? C'est impossible !

— Je ne sais rien, dit Poirot qui s'empressa de prendre congé.

A en juger par la consternation peinte sur le visage de Spence, cela donnait sujet à réflexion.

CHAPITRE III

— Vous voudrez bien m'excuser, mais je ne vois pas en quoi vous pouvez m'être utile.

Poirot ne répondit pas. Il étudiait le visage de l'homme qu'on avait accusé d'avoir tué son ami Arnold Clayton.

Le menton énergique, la tête droite, il était grand, brun, vigoureux. Son visage ne livrait pas ses sentiments mais il ne manifestait aucune cordialité.

— Mrs. Clayton vous a envoyé à moi dans les meilleures

intentions. Mais, très franchement, je juge cela assez mala-droit. Pour elle et pour moi.

— Pardon ?

Rich jeta un coup d'œil derrière lui. Le gardien était à distance réglementaire.

— Il leur faudra un motif pour étayer cette accusation ridi-cule, dit l'accusé en baissant le ton. On va chercher à prouver qu'il y avait une entente entre Mrs. Clayton et moi. Elle vous l'aura dit, nous sommes amis, rien de plus. Mais ne vaudrait-il pas mieux qu'elle n'agisse pas pour moi ?

— Vous parlez d'une accusation ridicule, dit Poirot, ce n'est pas mon avis.

— Je n'ai pas tué Arnold Clayton.

— Dites alors accusation fausse, inexacte, mais elle est parfaitement plausible.

— Je ne puis vous dire qu'une chose : tout cela me paraît délirant.

— Cela ne vous sera pas d'un grand secours. Nous allons chercher autre chose.

— J'ai des avocats qui se chargent de me défendre. Je n'accepte pas votre emploi du mot « nous ».

Contre toute attente, Poirot sourit.

— Parfait, dit-il avec beaucoup de grâce. Je voulais vous voir, je vous ai vu. J'ai étudié votre carrière. Vous avez fait Sandhurst, l'école de guerre. Vous n'êtes pas un imbécile.

— Et qu'est-ce que cela a à voir avec l'histoire actuelle ?

— Tout ! Un homme de votre classe n'aurait pas commis un meurtre dans les conditions où celui-ci l'a été. Très bien. Vous êtes innocent. Parlez-moi donc de votre domestique, Burgess.

— Burgess ?

— Oui, si vous n'avez pas tué Clayton, Burgess peut l'avoir fait. Mais pourquoi ? Vous êtes le seul à connaître assez Burgess pour en avoir une idée.

— Je l'ignore absolument. Oh, j'ai tenu votre raisonnement. En effet, à part moi, Burgess est le seul qui en ait eu l'occasion. Je ne puis y croire.

— Qu'en pensent vos avocats ?

Rich eut un sourire amer.

— Ils passent leur temps à me demander de façon insistante s'il n'est pas vrai que j'aie souffert toute ma vie de périodes d'irresponsabilité pendant lesquelles j'agis sans me contrôler.

— A ce point ! Peut-être trouverons-nous que c'est Burgess qui est sujet à ces crises. C'est une idée. L'arme, à présent. On vous l'a montrée et on vous a demandé si elle vous appartenait ?

— Elle n'est pas à moi. Je ne l'avais jamais vue.

— Qu'elle ne soit pas à vous, bien. Mais êtes-vous sûr de ne l'avoir jamais vue ?

— Non. C'est un de ces bibelots que les gens affectionnent.

— Dans le salon d'une femme, peut-être. Dans celui de Mrs. Clayton ?

— Certainement pas !

Le gardien leva la tête.

— Il est inutile de crier. Mais un jour, quelque part, vous avez vu un objet semblable, n'est-ce pas ? Ai-je tort ?

— Je ne crois pas. Dans une boutique... peut-être.

— C'est plausible. Poirot se leva. Je m'en vais, à présent, dit-il.

« A Burgess, maintenant. »

Chacun lui avait appris un peu des autres et un peu d'eux-mêmes. Mais personne ne l'avait renseigné sur le valet.

Il comprit pourquoi en le voyant.

Le valet de chambre était dans l'appartement de Rich alerté par un coup de téléphone de McLaren.

— Je suis Hercule Poirot.

— Oui, Monsieur. Je vous attendais.

Burgess s'effaça avec déférence et laissa entrer le détective. Une porte, ouverte, sur la gauche du hall, donnait sur le salon.

— Alors, dit Poirot avec un regard autour de lui. C'est ici que ça s'est passé ?

— Oui, Monsieur.

Un garçon calme, ce Burgess. Efflanqué, la peau blanche, les épaules et les coudes pointus, la voix plate avec une trace d'accent provincial difficile à situer. Les nerfs sensibles, peut-être, aucune caractéristique spéciale. Il semblait difficile de l'associer à une action violente. Un assassin négatif.

Il avait de ces yeux bleu pâle au regard timide que des gens peu observateurs auraient qualifiés de sournois. Un menteur est parfaitement capable de vous fixer droit dans les yeux.

— Que devient l'appartement ? demanda Poirot.

— Je continue à m'en occuper, Monsieur. Le commandant m'a laissé de l'argent, à charge d'en prendre soin jusqu'à...

Il baissa les yeux, gêné.

— Jusqu'à... répéta Poirot. Le commandant sera très certainement envoyé aux Assises dans les trois mois.

Burgess secoua la tête, perplexe.

— Cela paraît impossible, dit-il.

— Que votre maître soit un assassin ?

— Tout. Ce bahut...

Poirot suivit la direction de son regard.

— Ah, c'est là ce fameux bahut ?

C'était un meuble monumental, très sombre, incrusté de cuivre et pourvu d'un loquet et d'une serrure de même métal.

— Une belle pièce, remarqua Poirot.

Il se trouvait adossé au mur, près de la fenêtre. D'un côté, un porte-disque moderne, de l'autre, une porte entrouverte, à demi masquée par un grand paravent de cuir peint.

— Elle donne dans la chambre du commandant, expliqua Burgess.

La pièce était agréable, confortable, mais sans luxe.

Poirot reporta son attention sur le domestique.

— La découverte a dû vous donner un grand choc, dit-il avec douceur.

— Oh, oui, Monsieur. Jamais je ne l'oublierai.

Et Burgess se lança dans un récit torrentueux. Peut-être croyait-il qu'en racontant son histoire très souvent il en laverait sa mémoire.

— Je commençais à mettre de l'ordre, je rangeais les verres et le reste. Je me baissais pour ramasser des olives, par terre, et j'ai vu... sur le tapis, une tache rougeâtre. Non, le tapis est parti. Il est chez le teinturier. La police s'en est occupée. « Qu'est-ce que c'est ? », je me suis dit. Ma parole, on dirait du sang, j'ai pensé en rigolant. Mais, d'où cela vient-il ? Qu'est-ce qui a éclaboussé jusque-là ? Et j'ai vu que ça coulait du bahut, par la fente, là sur le côté « Tiens, c'est bizarre... » et j'ai soulevé le couvercle (il joignit le geste à la parole). Et j'ai vu le corps d'un homme couché sur le flanc, un peu replié sur lui-même. Il paraissait dormir. Mais avec une espèce de couteau qui lui sortait du cou ! Jamais je n'oublierai, jamais ! Tant que je vivrai ! Quand on ne s'y attend pas, vous comprenez !

Il respira avec force.

— J'ai laissé retomber le couvercle et je suis sorti en courant jusque dans la rue. Je cherchais un agent et, par chance, il y en avait un juste au coin.

Poirot le regardait d'un air songeur.

Si c'était là de la comédie, elle était excellente. Le détective commençait à craindre que ce ne fût que l'expression de la vérité.

— Vous n'avez pas songé à éveiller votre maître d'abord ? demanda-t-il ?

— Cela ne m'est même pas venu à l'idée. Avec cette secousse ! Je voulais filer et trouver de l'aide, balbutia-t-il.

Poirot hocha la tête.

— Aviez-vous reconnu Mr. Clayton ? demanda-t-il.

— Peut-être, Monsieur, mais je ne crois pas. Bien sûr, dès que je suis revenu avec l'agent, j'ai dit : « Mais, c'est Mr. Clayton ! » et il m'a répondu : « Qui est Mr. Clayton ? » et je lui ai expliqué : « Il était ici, hier soir ».

— Ah, fit Poirot. Hier soir. Vous souvenez-vous exactement de l'heure de l'arrivée de Mr. Clayton ?

— Pas à la minute précise. Il devait être huit heures moins le quart...

— Vous le connaissiez bien ?

— Il venait souvent avec Mrs. Clayton depuis dix-huit mois que je suis ici.

— Vous a-t-il paru comme d'habitude ?

— Il me semble. Il était peut-être un peu essoufflé. Il avait un train à prendre à ce qu'il paraît.

— Il devait avoir une valise.

— A-t-il été déçu d'apprendre l'absence du commandant ?

— Il n'en a rien montré. Il a dit qu'il laisserait un mot. Il est entré ici ; il s'est dirigé vers le bureau et je suis retourné à la cuisine. Je n'avais pas fini mon beurre d'anchois. La cuisine est loin et on n'y entend pas grand'chose. Je n'ai pas entendu Mr. Clayton repartir, ni mon patron revenir ; faut dire que je n'ai pas fait attention.

— Et ensuite ?

— Le commandant m'a parlé. Il était sur le seuil de la porte, là. Il avait oublié les cigarettes turques de Mrs. Spence. Il fallait que je me dépêche d'aller en acheter. Je les ai rapportées et je les ai posées sur la table. J'ai cru que Mr. Clayton était reparti pour prendre son train.

— Et personne d'autre n'est venu dans l'appartement

durant l'absence du commandant ou pendant que vous étiez dans la cuisine ?

— Non, Monsieur, personne.

— En êtes-vous certain ?

— Comment aurait-on pu, Monsieur ? Il aurait fallu sonner.

Poirot secoua la tête. Oui, comment ? Les Spence, McLaren et Mrs. Clayton avaient fourni un compte rendu précis de leur emploi du temps. McLaren était à son club avec des camarades ; les Spence avaient reçu quelques amis juste avant de partir, Margharita Clayton avait eu une conversation téléphonique au même moment. Chacun aurait eu de meilleures occasions de tuer Arnold Clayton que de le suivre dans un appartement occupé par un domestique dont le maître pouvait arriver d'une minute à l'autre. Un instant il avait songé à un « Mystérieux étranger ». Un inconnu surgissant du passé apparemment sans tache de Clayton, le reconnaissant dans la rue, le suivant jusque chez Rich, le poignardant avec le stylet, cachant le corps dans le bahut avant de prendre la fuite !

Le détective traversa la pièce et souleva le couvercle du coffre.

— Il a été nettoyé, Monsieur, dit Burgess d'une voix faible. J'y ai veillé.

Poirot se pencha, poussa une légère exclamation et passa ses doigts sur le panneau intérieur.

— Ces trous... ici... on les dirait tout récents.

— Des trous, Monsieur ?

Le valet se pencha à son tour.

— Je ne saurais dire. Je ne les ai jamais remarqués.

— Ils ne sont pas très visibles, mais ils existent. Dans quel but les a-t-on faits, à votre avis ?

— Vraiment, je ne sais pas, Monsieur. Une bête, peut-être des vers, de ceux qui mangent le bois ?

— Je me le demande. Lorsque vous êtes revenu avec les cigarettes, tout était-il à sa place ici ? Rien n'avait changé ? Une chaise, une table déplacées ?

— C'est curieux, maintenant que vous en parlez, Monsieur. Ce paravent, devant la porte de la chambre eh bien, il était davantage sur la gauche.

— Comme ceci ? demanda le détective, en déplaçant l'objet.

— Davantage... Voilà, comme ça.

Le paravent qui dissimulait une partie du bahut, le cachait, à présent, presque entièrement.

— Pourquoi pensez-vous qu'il a été déplacé ?

— Je n'y ai pas songé, Monsieur. (Une autre Miss Lemon.) Peut-être cela facilitait-il le passage dans la chambre, pour les dames.

— Oui, mais il peut y avoir une autre raison (Burgess prit l'air intéressé). Ce paravent cache le bahut et le tapis qui se trouve dessous. Si le commandant Rich a poignardé Clayton, quelqu'un aurait pu remarquer le sang coulant par la fente...

— Je n'y avais pas pensé, Monsieur.

— Qu'y avait-il comme lumière ?

— Je vais vous montrer, Monsieur.

Vivement, le domestique tira les rideaux et pressa les commutateurs qui répandirent une lueur douce à peine suffisante pour lire.

Poirot leva la tête vers le lustre.

— Il n'était pas allumé, Monsieur. On s'en sert très rarement. Je ne crois pas qu'on ait pu voir une tache de sang, l'éclairage est trop faible.

— Vous devez avoir raison. Mais alors, pourquoi a-t-on déplacé cet écran ? Burgess frissonna.

— C'est affreux de penser qu'un monsieur aussi doux que le commandant ait fait une chose pareille.

— Mais, vous ne doutez pas qu'il l'ait fait ? Pourquoi ?

— Il a fait la guerre. Peut-être a-t-il été blessé à la tête ? Il paraît que ça peut faire de l'effet des années plus tard. Croyez-vous que c'était cela ?

Poirot lui lança un coup d'œil, soupira et se détourna.

— Non, dit-il. Cela ne s'est pas passé comme ça.

Il glissa un billet entre les doigts du domestique.

— Oh, merci, Monsieur, mais réellement, je ne...

— Vous m'avez aidé en me montrant cette pièce et ce qu'elle contenait, en me parlant de la soirée qui nous occupe. L'impossible n'existe pas, souvenez-vous en. Il n'y avait que deux possibilités ai-je dit ? J'ai eu tort. Il en existe une troisième. Ecartez ces rideaux, laissez entrer l'air et la lumière. Cette pièce en a besoin. Il se passera un très long temps avant qu'elle soit purifiée des relents de haine qui la souillent.

Burgess, bouche bée, tendit au détective son manteau et son chapeau.

Poirot, qui aimait beaucoup émettre des jugements incompréhensibles, gagna la rue d'un pas ferme.

Revenu chez lui, le détective téléphona à l'inspecteur Miller.

— Qu'est devenue la valise de Clayton ? Sa femme dit qu'il en avait une.

— Au club. Il l'avait laissée au concierge. Il a dû l'oublier en partant.

— Que contenait-elle ?

— Le truc normal. Un pyjama, une chemise, des affaires de toilette.

— Parfait.

— Qu'est-ce que vous vous attendiez à y trouver ?

Poirot ignora la question.

— Au sujet du stylet, je vous suggère de vous informer auprès de la femme de ménage de Mrs. Spence.

— Mrs. Spence ? Miller siffla entre ses dents. C'est ça votre raisonnement ? On a montré le stylet aux Spence. Ils ne l'ont pas reconnu.

— Demandez-le leur une fois encore.

— Pensez-vous ?

— Et faites-moi savoir ce qu'ils vous auront dit.

— Je me demande ce que vous avez encore trouvé !

— Lisez *Othello*. Etudiez les caractères. Vous avez oublié l'un d'eux.

Il raccrocha et forma le numéro de Lady Chatterton. Il était occupé. Il appela George, son domestique, et lui donna pour instruction de continuer à appeler le numéro jusqu'à l'obtention d'une réponse. Lady Chatterton, il le savait, était une bavarde impénitente.

Il s'assit, desserra les lacets de ses chaussures vernies et s'appuya au dossier de son siège.

« Je suis vieux, je me fatigue facilement. Mais mes cellules continuent à fonctionner. Lentement, mais sûrement. *Othello*. Oui. Qui m'en a parlé ? Ah, oui, Mrs. Spence. La valise, le paravent, le corps, comme celui d'un homme endormi. Un meurtre astucieux. Prémédité, préparé, et je suppose, dégusté ! »

George vint à cet instant, lui annoncer que Lady Chatterton était en ligne.

— Ici, Hercule Poirot, Madame. Puis-je parler à votre invitée ?

— Mais comment donc ? Oh, Monsieur Poirot, auriez-vous fait des merveilles ?

— Pas encore. Mais il se peut...

Margharita était déjà là qui s'informait, d'une voix calme, douce.

— Madame, lorsque je vous ai demandé si vous aviez remarqué quelque chose d'inhabituel au cours de la soirée, une idée vous est venue qui vous a échappé. S'agissait-il de la position du paravent ?

— Le paravent ? Mais oui, c'est cela. Il n'était pas à sa place ordinaire.

— Avez-vous dansé ?

— La plupart du temps, oui.

— Avec qui, surtout ?

— Jeremy Spence. C'est un danseur remarquable. Charles est adroit mais sans plus. Jack McLaren ne danse pas. Il s'occupait des disques.

— Plus tard, vous avez écouté de la musique classique ?

— Oui.

Il y eut un silence.

— Monsieur Poirot, qu'est-ce que tout cela ? Avez-vous... y a-t-il... de l'espoir ?

— Savez-vous toujours, Madame, ce que ressentent les gens qui vous entourent ?

— Je... je le crois, dit-elle, un peu surprise.

— Non, je pense quant à moi, que vous n'en avez aucune idée. C'est la tragédie de votre vie, mais pour les autres, pas pour vous.

« Aujourd'hui, quelqu'un m'a parlé d'*Othello*. Je vous ai demandé si votre mari était jaloux. Sans doute, m'avez-vous répondu avec beaucoup de légèreté. Comme Desdémone l'eût fait, sans comprendre le danger. Elle non plus ne comprenait pas la jalousie, car elle n'avait jamais été, jamais pu être jalouse. Elle ignorait, je pense, tout de la passion physique aiguë. Elle aimait son mari avec la ferveur romantique que l'on voue aux héros, elle aimait son ami Cassio, innocemment, comme un camarade très proche. C'est, je pense, son immunité contre la passion qui rendait les hommes fous. Me suis-je bien fait comprendre, Madame ?

Margharita attendit avant de répondre d'une voix fraîche, douce, un peu étonnée.

— Non, vraiment, je ne comprends pas ce que vous voulez dire.

Poirot soupira.

— Ce soir, dit-il d'un ton impersonnel, je me permettrai de vous faire une visite.

L'inspecteur Miller n'était pas facile à persuader. Mais Hercule Poirot n'était pas homme à se faire repousser avant d'avoir atteint son but. Miller grogna, mais capitula.

— Qu'est-ce que Lady Chatterton a à voir avec cela ?

— Rien, elle a offert asile à une amie, c'est tout.

— Et au sujet des Spence... comment saviez-vous ?

— Que le stylet venait de chez eux ? Une simple supposition. Une réaction de Jeremy Spence. Il a repoussé avec véhémence l'idée que l'arme pouvait appartenir à Mrs. Clayton. Qu'ont-ils dit ?

— Ils ont admis l'avoir eu chez eux, comme bibelot. Mais elle avait disparu depuis quelques semaines et ils l'avaient oublié. Rich a dû s'en emparer chez eux.

— Ce Spence est un homme qui aime jouer sur le velours. Depuis quelques semaines. Oui, le projet n'était pas jeune.

— Hein ? Quoi ?

— Nous arrivons, remarqua Poirot.

Le taxi venait de s'arrêter devant la maison de Lady Chatterton. Le détective régla la course.

Margharita Clayton les attendait dans le salon du second étage. Son visage se durcit à la vue de Miller.

— Je ne savais pas...

— Vous ignoriez quel ami je me proposais d'amener ?

— L'inspecteur Miller n'est pas de mes amis.

— Cela dépend, si vous désirez ou non voir justice se faire, Madame, votre mari a été assassiné, lui dit vivement Miller.

— Et maintenant, nous allons parler de celui qui l'a tué, intervint vivement Poirot. Pouvons-nous nous asseoir, Madame ?

Lentement, Margharita prit place sur une chaise à haut dossier, face aux deux hommes.

— Je vous demande, dit le détective, de m'écouter patiemment. Je crois savoir ce qui s'est passé dans l'appartement du commandant Rich, durant la soirée fatale. Nous avons débuté par la fausse impression que seules deux personnes, le commandant et son domestique, avaient eu la possibilité de cacher le corps dans le coffre. C'était une erreur. Quelqu'un d'autre a disposé de la même occasion.

— Et qui donc ? demanda Miller sceptique, le garçon d'ascenseur ?

— Non, Arnold Clayton.

— Quoi ? cacher son propre cadavre ? Vous êtes fou !

— Evidemment, pas son cadavre. En deux mots : il s'est caché lui-même dans le bahut. Une performance répétée au cours de l'histoire. J'y ai pensé à la vue des trous récemment perforés dans le bois du meuble. Dans quel but ? Pour laisser passer de l'air. Pourquoi avait-on déplacé le paravent ? Pour dissimuler le bahut à la vue des occupants de la pièce. De la sorte, l'homme qui s'était caché pouvait, de temps à autre, soulever le couvercle, détendre ses membres endoloris, et, mieux, entendre ce qui se disait autour de lui.

— Mais pourquoi ? demanda Margharita, les yeux élargis de surprise. Pourquoi Arnold aurait-il voulu se cacher dans ce meuble ?

— C'est vous, Madame, qui me demandez cela ? Votre mari était jaloux. Il était peu communicatif. « Bouclé » comme le désignait votre amie Mrs. Spence. Sa jalousie croissait, le torturait. Etiez-vous, n'étiez-vous pas la maîtresse de Rich ? Il lui fallait savoir ! Un télégramme, jamais envoyé, que personne ne vit jamais. La valise faite et oubliée, à propos, au club. Il arrive chez Rich à l'heure où il le sait sorti. Il dit au domestique son intention de laisser un mot. Dès qu'il est seul, il perce des trous dans le bahut, déplace le paravent et grimpe dans le meuble. Ce soir il saura la vérité. Peut-être sa femme restera-t-elle après les autres, peut-être partira-t-elle pour revenir un peu plus tard. Cette nuit, cet homme dévoré de jalousie saura.

— Vous n'allez pas prétendre qu'il s'est poignardé lui-même ? s'exclama Miller. C'est ridicule !

— Oh, non. Quelqu'un d'autre s'en est chargé. Quelqu'un qui le savait là. Oui, cela a été un meurtre. Soigneusement préparé, prémédité depuis longtemps. Pensez aux personnages d'*Othello*. Nous aurions dû nous souvenir de Jago, l'honnête, le fidèle ami, l'homme en qui l'on croit toujours ; Arnold Clayton croyait en lui. C'est lui qui entretint votre mari dans sa jalousie, qui le poussa à l'exaspération. Arnold Clayton eut-il lui-même l'idée de se cacher dans le bahut ? C'est possible mais

pas certain. Le stylet, volé depuis plusieurs semaines déjà, est
prêt. La soirée arrive. Les lumières sont tamisées, la musique
résonne, deux couples dansent, quelqu'un s'occupe des disques,
à côté du bahut espagnol, lequel est masqué par le paravent.
Se glisser derrière l'écran, lever le couvercle et frapper, auda-
cieux, mais très facile.

— Clayton aurait crié !

— Non, pas s'il a été drogué. Le domestique déclare que le
cadavre avait la position d'un homme endormi. Clayton dor-
mait drogué par le seul homme qui avait pu le faire, celui qui
avait bu, avec lui, au club.

— Jack ! s'écria Margharita au comble de la surprise. Jack ?
Oh non ! Je l'ai connu toute ma vie ! Pourquoi aurait-il ?...

— Pourquoi deux Italiens se sont-ils battus en duel ? Pourquoi un jeune homme s'est-il tué d'un coup de revolver ? Jack
McLaren n'est pas expansif. Peut-être s'était-il résigné à rester
votre ami fidèle, à vous et à votre mari. Mais le commandant
Rich est arrivé. C'en fut trop. Aveuglé par la haine et le désir,
il prépare ce qui a failli être un crime parfait, presque un
double meurtre, car pour lui Rich sera presque certainement
reconnu coupable. Alors Rich et votre mari hors circuit, il
pense, qu'enfin, vous vous tournerez vers lui. Et peut-être,
Madame, l'auriez-vous fait. N'est-ce pas ?

Elle le regardait horrifiée...

— Peut-être, murmura-t-elle. Je ne sais pas.

L'inspecteur Miller prit la parole avec autorité.

— Tout cela, c'est très bien, Poirot. C'est une théorie, rien
de plus. Il n'y a pas l'ombre de preuve. Peut-être n'y a-t-il pas
un mot de vrai là-dedans.

— Tout est parfaitement exact.

— Mais, il n'y a aucune preuve ! Rien sur quoi nous
appuyer.

— Vous avez tort. McLaren, j'en suis sûr, reconnaîtra les
faits si vous lui faites comprendre que Mrs. Clayton est au
courant. Il saura qu'il a perdu. Il n'y a guère de crimes
parfaits, Miller !

TRADUIT DE L'ANGLAIS PAR MONIQUE THIES

Les Maîtres du Roman Policier

Première des collections policières en France, Le Masque se devait de rééditer les écrivains qu'il a lancés et qui ont fait sa gloire.

Le Club
des Masques

IMPRIMÉ EN FRANCE PAR BRODARD ET TAUPIN
58, rue Jean Bleuzen - Vanves - Usine de La Flèche.
ISBN : 2 - 7024 - 0023 - X
ISSN : 0768 - 0384

H 31/0283/7